MAGDALENA MAKAROWSKA

Z OPCJĄ WEGE

SZYBKI DETOKS

5 tygodni diety usprawniającej metabolizm!

Feeria
WYDAWNICTWO

SPIS TREŚCI

0138489957

Opieka redakcyjna: Maria Zalasa
Redakcja: Dariusz Rossowski
Korekta: Bronisław Grzywacz, Ewa Różycka

Projekt typograficzny, skład i projekt okładki: Katakanasta Joanna Wasilewska
Fotografie: Tomasz Makarowski, oprócz
Zdjęcie na okładce: Pixelbliss/Fotolia
Zdjęcia na stronach: 53: gkrphoto/Fotolia, 71: 5ph/Fotolia, 157: lilechka75/Fotolia,
6-7: Viktorija/Fotolia
Ilustracje na stronach: 49, 100, 109, 143, 168-169, 184: Sonyaillustration/Dreamstime.com
Ilustracja na stronie 158: Sonya Illustration/Shutterstock
Ilustracja na stronie 131: Katerina Izotova/Shutterstock
Ilustracja na stronie 179: Pim/Shutterstock
Zdjęcia na stronach:12-13, 23, 28, 30-31, 36-37, 64-65, 94-95, 120-121, 122, 146-147, 176-177,
203, 204-205: serwis Pixabay

Druk: Toruńskie Zakłady Graficzne Zapolex Sp. z o.o.

ISBN: 978-83-7229-640-5

Wydanie I, Łódź 2017
Wydawnictwo JK
ul. Krokusowa 3, 92-101 Łódź
tel. 42 676 49 69
www.wydawnictwofeeria.pl

WPROWADZENIE

TEN MIESIĘCZNY PLAN ŻYWIENIOWY SPRAWI,
ŻE TWÓJ METABOLIZM ZWIĘKSZY OBROTY :)

Zima to czas gromadzenia zapasów, głównie tłuszczu wokół brzucha :(Aby pozbyć się tego bogactwa, należy rozkręcić metabolizm, skupiając się na dwóch sprawach. Po pierwsze, trzeba zadbać o odciążenie wątroby, a po drugie, wspomóc trawienie i przemianę materii. Pomogą nam w tym produkty świeże, mało przetworzone, bogate w błonnik. Decydujące będzie wykluczenie z diety tych elementów, które są przyczyną kłopotów z trawieniem.

ŻELAZNE ZASADY DIETY DETOKS:

ZERO ALKOHOLU, NABIAŁU, W TYM MLEKA, TWAROGÓW I SERÓW BIAŁYCH (OPRÓCZ MOZZARELLI, FETY I JOGURTU PROBIOTYCZNEGO), GLUTENU, CUKRU, SOLI, KONSERWANTÓW

OGRANICZENIE MIĘSA WIEPRZOWEGO

JEDZENIE W STYLU RAW FOOD – SZYBKIE, PROSTE I ŚWIEŻE

Kolejność spożywania posiłków w ciągu dnia:

- 2 dni – węglowodany (kasze, bataty, marchewki, buraki) + białko (mięso drobiowe, chude ryby, jajka) + warzywa + owoce

- 2 dni – białko z warzywami

- 1 dzień – warzywa + owoce

- 2 dni – węglowodany + warzywa + owoce + orzechy (laskowe, włoskie, nerkowce, brazylijskie, pestki dyni, słonecznika, migdały, chia, siemię lniane)

Dlaczego taka kolejność ma znaczenie? Otóż nasz organizm bardzo łatwo daje się „nabrać" na dni białkowo-warzywne i warzywno-owocowe, sprawnie przyspieszając spalanie tłuszczu bez negatywnych konsekwencji dla zdrowia. Z kolei dieta w pozostałe dni, bogata w węglowodany złożone (kasze, bataty, warzywa korzeniowe, marchewki, buraki), wpływa uspokajająco na nasze nadnercza, które nie są prowokowane przez nią do wytwarzania nadmiaru kortyzolu. Dzięki temu metabolizm przebiega sprawnie, nie wpływając na pracę tarczycy, która potrzebuje węglowodanów dla właściwego funkcjonowania. A dodajmy, że tarczyca to przecież narząd nadrzędny dla regulacji metabolizmu tłuszczu.

Przewidziana tu dawka węglowodanów daje nadnerczom i tarczycy sygnał, że „nic złego się nie dzieje" i nie trzeba zwalniać metabolizmu, jak to bywa w ostrych, restrykcyjnych dietach niskokalorycznych i niskowęglowodanowych. Jeśli redukujemy węglowodany do zera i opieramy dietę na samym białku, wtedy nadnercza wysyłają sygnał do mózgu o nadchodzącym „kataklizmie" i skutecznie zwalniają metabolizm w oczekiwaniu na „pomór". Natomiast porcja węglowodanów skutecznie je uspokaja. Żeby jednak jednocześnie uzyskać efekt spalania, należy zastosować odpowiednią kolejność posiłków, która ten proces usprawni.

Kolejną kwestią jest zadbanie o to, by jedzenie nas nie tylko karmiło, ale także odżywiało. W tym celu ważna jest jego jakość. Po pierwsze, starajmy się wybierać produkty z dobrych źródeł, od lokalnych rolników. Jeśli jest z tym problem, warto postarać się przynajmniej o pozbycie się chemikaliów z warzyw i mięsa (poznasz sposoby, jak to zrobić). Po drugie, dieta musi być urozmaicona, zawierając różne składniki odżywcze, dlatego będą w niej dominowały różne warzywa, owoce, orzechy, nasiona.

Forma przygotowania będzie bazowała na szybkim sposobie gotowania. Proponuję szybkie zupy, sałatki czy dania z piekarnika, ale w jak najmniejszym stopniu przetworzone. W dzisiejszych czasach doświadczamy swoistego paradoksu: mimo obfitości jedzenia i produktów, jemy coraz bardziej monotonnie i jednostajnie. W czasach permanentnego kryzysu i żywności na kartki nasi rodzice stawali na głowie, abyśmy codziennie mieli inny obiad. A dziś co dzień serwujemy sobie parówki na śniadanie i mielone na obiad. Szczytem kulinarnego szaleństwa jest pieczeń przyrządzona z gotowego, marynowanego mięsa z marketu... Szkoda.

Po trzecie, aby żywność nas w pełni odżywiała, należy zadbać o zdrowie naszych jelit. Dlatego moja propozycja opiera się na produktach niesmażonych, niekonserwowanych i sezonowych, co pomaga odbudować prawidłową florę bakteryjną jelit. W przypadku takich kłopotów z jelitami, jak biegunki, zaparcia czy wzdęcia warto posiłkować się dobrym probiotykiem, ale przedstawiony tu sposób żywienia powinien znacznie złagodzić, jeśli nie trwale wyeliminować, wspomniane dolegliwości. Przeczytacie o tym więcej w dalszej części poradnika.

Odejście od teorii kalorycznej to moja propozycja już nie od dziś. Osobiście uważam, że kaloria jest przereklamowana. Znaczenie ma ich jakość, a nie liczba, i tego będziemy się trzymać! Wiem, że to trochę obrazoburcza propozycja dla osób, które uwielbiają się katować dietą 1000 kcal na detoksie. Ale ja nie jestem zwolenniczką karania siebie i swojego ciała. Wyznaję teorię jedzenia hedonistycznego, zdrowego *comfort food*, z którego po diecie wcale nie będziemy chcieli rezygnować :)

Jeśli dieta sprawia nam przyjemność, nie czujemy, że „na niej" jesteśmy. Staje się częścią naszego normalnego, codziennego życia, a co najważniejsze daje radość dla podniebienia. To jedyna droga do smukłej sylwetki – zmiana nawyków na lepsze i na zawsze.

JEDZENIE INTUICYJNE

Jedzenie intuicyjne to według mnie jedyna rozsądna zasada współczesnej dietetyki! Przy prawidłowym sposobie odżywiania organizm sam daje sygnał o sytości. Sami się o tym przekonacie.

Dzięki odpowiedniej kompozycji posiłków i metodzie **NIEŁĄCZENIA**, której jestem wierna od wielu lat, osiągniecie efekt naturalnego obkurczenia żołądka. Nierozpychany węglowodanami prostymi i potrawami mącznymi silny mięsień żołądka łatwo ulega obkurczeniu, dzięki czemu po takim detoksie możecie jeść wszystko (oczywiście wszystko, co zdrowe), a będziecie to odruchowo robić w mniejszych ilościach.

I o to chodzi: powinniśmy jeść **WSZYSTKO, TYLKO MAŁO**! Dzięki temu będziemy mogli sobie pozwolić nawet na zaplanowane, małe żywieniowe grzeszki, które nasz metabolizm po prostu nam wybaczy.

Zawsze namawiam pacjentów podczas diety, że jeśli już muszą czymś zgrzeszyć, niech to będzie potrawa jak najlepszej jakości. Zresztą organizm po detoksie będzie się buntował przeciwko jedzeniu słabej jakości, które po prostu nie będzie nam smakowało.

Oczywiście dla porządku i orientacji moje propozycje zawierają porcje określonej wielkości, ale pamiętajcie:

ZAWSZE MOŻECIE ZJEŚĆ WIĘCEJ DANEJ POTRAWY! BEZ RYZYKA PRZYBRANIA NA WADZE.

ROZDZIAŁ 1

DETOKS DLA MIKROBIOMU – BO ZDROWIE ZACZYNA SIĘ OD JELIT!

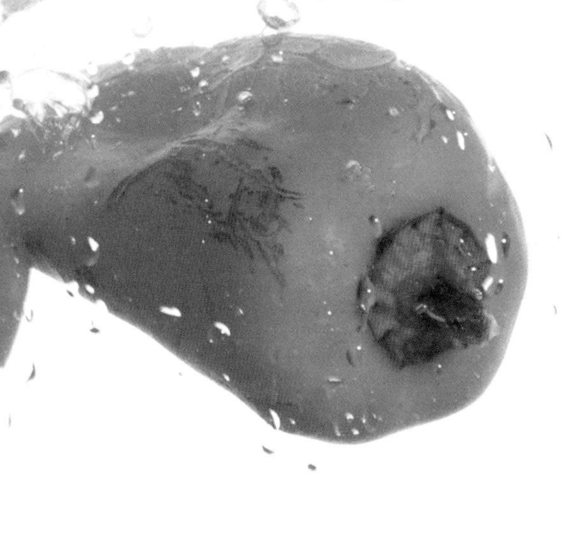

Ogromnie ważne jest, by spożywane przez nas jedzenie odżywiało również jelita, bo w nich zaczyna się wszystko – począwszy od zdrowia fizycznego, a na dobrym samopoczuciu psychicznym skończywszy. Tak, mózg i jelita mają ze sobą wiele wspólnego, a najnowsze badania potwierdzają, że na skutek dysbiozy jelit dochodzi do zaburzeń na tle neurologicznym. Neurobiota – czyli to, jak jelita zmieniają funkcjonowanie mózgu – to gorący temat naukowy XXI wieku.

W moich poradach żywieniowych dobre samopoczucie, lekkość trawienia oraz zdrowie układu pokarmowego zawsze były i są podstawą dobrze skomponowanej diety. Każdemu ze swoich podopiecznych układam taki plan żywieniowy, który „uleczy" trawienie, niwelując takie dolegliwości, jak wzdęcia, zgagi, zaparcia, które świadczą o problemie z jelitami.

Nie wyobrażam sobie, żeby dieta tylko odchudzała. Dieta ma **POLEPSZAĆ** cały proces trawienny oraz ogólny stan zdrowia, czyli na przykład obniżać poziom cukru, złego cholesterolu, trójglicerydów i ciśnienia krwi, odciążać nerki i wątrobę, wspomagać metabolizm i usuwanie toksyn itd. Takie są moje założenia i uważam, że tylko taka dieta ma sens. Na pewno sami dostrzegacie, że jeśli dobrze się czujecie, to zwykle waga jest w normie, a jeśli mamy nadwagę, od razu dochodzą dolegliwości, które utrudniają nam funkcjonowanie na co dzień (gazy, wzdęty brzuch czy zaparcia oraz zgaga). Nadwaga pogarsza stan flory jelitowej i stąd problem z trawieniem. Wynika z tego, że podstawą naszego zdrowia powinno być zadbanie o jelita. I moja dieta do tego właśnie zmierza.

KILKA SŁÓW O TYM, CO W JELITACH PISZCZY,

CZYLI NASZA WEWNĘTRZNA KULTURA BAKTERYJNA

Nasze jelita w chwili narodzin są jałowe, dopiero wraz z mlekiem matki oraz dzięki kontaktowi z jej skórą nabywamy powoli nasz osobisty komplet bakterii i tzw. mikroflora jelitowa zaczyna zasiedlać przewód pokarmowy. Na każdym jego odcinku bytują inne szczepy, lubujące się w innych warunkach środowiskowych, innym pH oraz żywiące się innym rodzajem pokarmu. Ogólna nazwa naszych bakterii jelitowych to mikrobiota lub mikrobiom. Należą do niego bakterie komensalne, symbiotyczne oraz potencjalnie chorobotwórcze, które pełnią różne funkcje.

Nie wiem, czy zdajecie sobie z tego sprawę, ale w przybliżeniu liczba tych bakterii wynosi 10 razy więcej niż liczba wszystkich komórek naszego ciała! Tak, w pewnym sensie to nie my mamy bakterie, ale bakterie mają nas... Jesteśmy dla nich rodzajem nośnika :)

Do tej pory wykryto około 35 tysięcy gatunków bakterii, grzybów niedoskonałych, pierwotniaków oraz wirusów, które nas zasiedlają, ale badania nad ich różnorodnością cały czas trwają, a naukowcy opisują coraz to nowy gatunek. Wspólny genom naszego mikrobiomu zawiera 4 x 10^5 genów, czyli w przybliżeniu sto razy więcej niż ludzki genom! Ponieważ waga wszystkich bakterii wynosi blisko półtora kilograma, można je nazwać swoistym „narządem bakteryjnym", który pełni rozliczne funkcje oraz wchodzi w relacje czynnościowe z innymi narządami.

Tak jak wspomniałam, rodzimy się bez bakterii. Zasiedlają nas one podczas porodu i w trakcie dalszego rozwoju. Stabilny i typowy dla każdego mikrobiom osiągamy w wieku ok. 2–2,5 lat (Bezirtzoglou E., 1977; Koenig J.E. i inni, 2011; Palmer C. i inni, 2007). Z upływem lat jednak powoli tracimy stabilność mikrobiomu. W wyniku starzenia się organizmu zmniejsza się liczba dobroczynnych beztlenowców *Bacteroides* oraz *Bifidobacteria*, a wzrasta liczba różnych *E. coli* oraz *Enterococcus* (Olszewska J. i inni, 2012; Simren M. i inni, 2013).[1] Aby moje mikrobiologiczne fascynacje nie zdominowały tego rozdziału, napiszę jeszcze w skrócie, co dobrego robią dla nas bakterie jelitowe. Mam nadzieję, że przekona to Was, iż warto o nie dbać :)

Rola tych bakterii jest ogromna. Wspomnę choćby rozkład resztek pokarmowych w procesie fermentacji i tworzenie krótkołańcuchowych kwasów tłuszczowych (m.in. masłowego, octowego, propionowego), będących głównym materiałem energetycznym dla komórek nabłonka jelita grubego, utrzymujących go w dobrej formie i dbających o jego ciągłość. Ponadto mikrobiom ma wpływ na poprawę przyswajalności wielu składników mineralnych oraz elektrolitów, takich jak magnez, żelazo, sód, wapń czy potas.

Mikrobiom wytwarza też enzymy (hydrolazy) wpływające na metabolizm tłuszczów w wątrobie oraz wspomaga przemianę cholesterolu i kwasów żółciowych. Co więcej, dobre bakterie odpowiadają za powstawanie witamin z grupy B, PP i K. Bakterie pełnią też funkcje troficzne przez działanie ochronne nabłonka. Stymulują produkcję mucyn – polisacharydu tworzącego warstwę śluzową, która chroni jelita przed toksynami i drobnoustrojami chorobotwórczymi. Są również źródłem sperminy, spermidyny i putrescyny, które

1 Zob. kwartalnik „Postępy Mikrobiologii", tom 55, zeszyt 3, lipiec–wrzesień 2016 [CODEN: PMKMAV 55 (3) 2016].

odgrywają rolę we wzroście i podziałach komórkowych oraz zmniejszają przepuszczalność błony śluzowej jelita i stymulują jej regenerację, co zapewnia jej szczelność.

Ponadto dobre bakterie hamują namnażanie patogenów poprzez utrzymywanie odpowiedniego pH oraz rywalizację o pożywienie i miejsce bytowania na błonie śluzowej jelita i blokowanie receptorów nabłonka. Funkcje ochronne są realizowane także dzięki wytwarzaniu substancji bakteriostatycznych (głównie bakteriocyn i nadtlenku wodoru), niszczących bakterie patogenne.

Mikrobiota nieustanie stymuluje nasz układ immunologiczny, ucząc go walki z bakteriami chorobotwórczymi, oraz chroni przed rozwojem procesów nowotworowych układu pokarmowego przez usprawnienie motoryki jelit i skracanie czasu kontaktu substancji kancerogennych z ich ścianą.

Żeby więc jelita pracowały sprawnie, a nasz metabolizm był prawidłowy, mikroflora jelitowa musi być różnorodna, powinna występować w odpowiedniej liczbie i być pozbawiona patogenów. Co zaburza mikroflorę i doprowadza do dysbiozy jelit? Na pewno nadużywanie leków (antybiotyków, środków na zgagę, niesteroidowych leków przeciwzapalnych typu ibuprofen), częste infekcje, stres fizyczny i psychiczny, czynniki genetyczne, agresywna terapia (chemio-, radioterapia) oraz to, na co mamy największy wpływ, czyli **nieprawidłowa dieta** oraz powiązana z nią otyłość lub niedożywienie. Miejmy przy tym świadomość, że nadwaga prowokuje nieustanny stan zapalny w organizmie, co doprowadza do dysbiozy jelit.

OGÓLNE ZASADY DIETY DETOKS

WSKAZANE

- **PRODUKTY Z WAPNIEM** – napoje roślinne: mleko ryżowe, słonecznikowe, z komosy ryżowej, migdałowe, kokosowe, orzechowe; tahini (masło sezamowe); roślinne napoje fermentowane (jogurt kokosowy)
- **NABIAŁ** – dopuszczamy w diecie niewielkie ilości jogurtów naturalnych bio, fety, mozzarelli
- **ZBOŻA** – komosa ryżowa, kasza gryczana niepalona, kasza jaglana, płatki gryczane, amarantus, kasza pęczak

- **JAJKA** – 5 w tygodniu, tylko od kur z wolnego wybiegu (czyli z oznaczeniem „0")
- **ZIARNA** – pestki słonecznika, dyni, migdały, siemię lniane, babka jajowata, chia, nasiona konopi, ostropest, orzechy włoskie, laskowe, brazylijskie ,nerkowce, mak
- **MĄKA** – kokosowa, orzechowa, migdałowa (używamy tylko do dań na zimno bez obróbki termicznej), kasztanowa, ryżowa, gryczana
- **SÓL** – himalajska, kłodawska szara nierafinowana
- **WARZYWA** – domowe kiszonki, surowe marchewki, surowe buraki, pietruszki, sałaty, ogórki, cebule, pieczarki, brokuły, kalafiory, jarmuż, kapusta pekińska, kapusta biała, ogórki kiszone, fasolka szparagowa, cukinie, kabaczki, brukselki, pory, selery, szpinak, szparagi, brukiew, kalarepy, rzodkiewki, cykorie, botwinka, rzeżucha, kiełki, dynie, bataty, papryki żółte i dojrzałe pomidory
- **OWOCE** – jagody, borówki, maliny, jeżyny, cytryny, limonki, kiwi, agrest, porzeczki, papaje, passiflora, granaty, jagody, awokado, kokosy, zielone banany, arbuzy, melony – w połączeniu z orzechami, nasionami słonecznika i dyni, siemieniem lnianym
- **MIĘSO** – indyk, kurczak hodowany bez antybiotyków i sterydów, kaczka, wolna od hormonów wieprzowina (polędwica, szynka, schab), wołowina, królik, dziczyzna. UWAGA: kupujemy mięso surowe, nieprzetworzone i sami dokonujemy obróbki termicznej dozwolonymi metodami
- **RYBY** – najlepsze są ryby z dalekomorskich połowów oceanicznych (dorsz pacyficzny, makrela, sardynka, szprotka, łosoś dziki) oraz ryby słodkowodne pochodzące z czystych zbiorników wodnych, np. karp, amur, sandacz, troć, pstrąg
- **TŁUSZCZE** – 3–4 łyżki dziennie; do smażenia oliwa extra vergin, olej kokosowy, olej rzepakowy nierafinowany tłoczony na zimno, masło klarowane; do sałatek olej lniany budwigowy, olej z awokado, olej z czarnuszki, olej z pestek dyni, olej konopny
- **PŁYNY** – woda niegazowana niskosodowa lub lekko gazowana (1,5–2 l dziennie); herbatki ziołowe (czystek, pokrzywa, skrzyp, liście brzozy, liście morwy białej); świeże soki warzywne tłoczone
- **DODATKI** – zioła świeże i suszone (bazylia, oregano, tymianek, kolendra, melisa, mięta, szałwia, kminek, natka pietruszki, czosnek), przyprawy suszone (pieprz czarny, pieprz cytrynowy, pieprz ziołowy, czubryca, curry, gałka muszkatołowa, liść laurowy,

OZONOWANIE

ziele angielskie, papryka suszona, chili) oraz ocet balsamiczny, ocet jabłkowy, chrzan, skórka i sok z cytryny oraz limonki

- **HERBATY** – pokrzywa, skrzyp, sok z żurawiny, czystek, herbata zielona, czerwona, napar z natki pietruszki, aloes
- **SPOSOBY PRZYRZĄDZANIA POTRAW** – gotowanie, duszenie, gotowanie na parze, pieczenie w piekarniku w szklanych lub ceramicznych naczyniach, szybkie smażenie przez 3–5 minut

WAŻNE WSKAZÓWKI

- **KASZĘ** płuczemy dokładnie pod ciepłą wodą, aż przestanie się pienić, dzięki temu usuwamy substancję antyodżywczą saponinę.
- **SOJA** jest wykluczona, ponieważ badania naukowe wskazują jej niekorzystny wpływ na pracę hormonów tarczycy.
- **ZIARNA i ORZECHY moczymy** (zalewamy wodą, aby zmiękły), są wtedy lepiej przyswajalne; **nie prażymy** nasion (poza orzeszkami piniowymi), bo dobre kwasy omega-3 ulegają wtedy utlenieniu i stają się wręcz niezdrowe, prozapalne, utwardzone.
- **KIEŁKOWANIE** ziaren i nasion (gryki, komosy ryżowej) zwiększa ich strawność oraz bioprzyswajalność substancji odżywczych. Kiełki mają często kilkanaście razy więcej składników mineralnych i witamin, co jest niezmierne ważne dla osób z chorobami autoimmunologicznymi.
- **GRYZIENIE** – Aby wykorzystać wartości siemienia lnianego czy nasion chia, należy dokładnie je pogryźć w czasie jedzenia, inaczej wyjdą w takiej formie, w jakiej weszły, i nie zużytkujemy bogactwa kwasów omega-3. Można je też przed dodaniem do potrawy rozgnieść w moździerzu.
- **OZONOWANIE** to obecnie jedna z lepszych metod usuwania toksyn, metali ciężkich i hormonów z mięsa oraz pestycydów i herbicydów z owoców, warzyw, kaszy; dzięki temu stają się one mniej szkodliwe i nie trzeba sięgać tylko po mięso ekologiczne
- **MYCIE** owoców i warzyw w specjalnie do tego przeznaczonych płynach oczyszczających z chemii przemysłowej (do kupienia w internecie) **jest szczególnie waż-**

ne, jeśli chodzi o nowalijki nafaszerowane chemią. Unikaj pierwszych wybujałych rzodkiewek czy wielkich sałat. Dokładnie myj i płucz warzywa.

- **MOCZENIE** w roztworze wody o **odczynie kwaśnym** (1 l wody + 100 ml octu jabłkowego, soku z cytryny) oraz **wody o odczynie zasadowym** (1 l wody + 1 łyżka sody) to domowy i skuteczny sposób na oczyszczanie warzyw i owoców z chemii i nawozów!
- **INTUICJA** – jak zauważycie, nie ma w tym, ani w żadnym innym moim poradniku nawet wzmianki o kaloryczności posiłków. To celowy zabieg. Po pierwsze, nie znoszę matematyki i liczenia. Po drugie, to nie ma sensu! Kaloria kalorii nierówna. Zjedzenie tortu z bitą śmietaną będzie odpowiadało kaloryczności steka z wołowiny, jednak po torcie nie schudniemy, a po steku owszem. Nie liczy się ilość, ale jakość kalorii. Dlatego porcje podane są orientacyjne, a Wy macie zjeść tyle, ile potrzebuje Wasz organizm. Nie zdarzyło się, żeby ktoś na tej diecie chodził głodny. Kompozycja posiłków zaś sprawi, że będziecie nieświadomie zmniejszać porcje, tak że kaloryczność dopasuje się do Was, a nie wy do niej – i o to chodzi!
- **NIE ŁĄCZYMY** mięsa z kaszami i innymi węglowodanami. Ta zasada, która zawsze mi przyświeca, ułatwia trawienie i nie obciąża żołądka.

ZAKAZANE

- **NABIAŁ** – mleko, białe sery, twarogi, sery żółte, sery topione, sery pleśniowe, homogenizowane
- **GLUTEN** – takie zboża, jak pszenica, orkisz, żyto, owies; kasza krakowska, kuskus, bulgur, manna; produkty mączne: pieczywo, bułki, rogaliki, makarony, naleśniki, kluski, pierogi i inne wypieki z mąk glutenowych
- **ZBOŻA** – ryż
- **ORZECHY** – orzechy arachidowe
- **NASIONA** – groch, fasola, soczewica, kukurydza, soja, ciecierzyca
- **CUKIER** – biały rafinowany i pochodne zawierające syrop glukozowo-fruktozowy, słodziki syntetyczne (aspartam), cukier trzcinowy, syrop klonowy, karmel, słody jęczmienne, syropy i inne formy cukru

- **SÓL** – biała rafinowana
- **WARZYWA** – ziemniaki, niedojrzałe pomidory, warzywa konserwowane
- **OWOCE** – owoce suszone siarkowane i w słodkich syropach, dojrzałe banany, winogrona, dżemy, kupowane soki owocowe, musy owocowe i inne owoce przetworzone
- **MIĘSO** – wędliny z glutaminianem sodu, azotanem sodu, fosforanami, barwnikami, aromatami, wędzone, solone, konserwy w puszce, kiełbasy, pasztety, parówki, kabanosy
- **RYBY** – łosoś hodowlany, łosoś norweski, tuńczyk, rekin, merlin, panga, sum afrykański, dorsze atlantycki i bałtycki, śledź bałtycki, halibut, ryba maślana, tilapia, flądra bałtycka – są one zanieczyszczone rtęcią, dioksynami, kadmem i ołowiem, przez co rozszczelniają jelita
- **WĘDZONKI** – proces wędzenia jest rakotwórczy; na etapie oczyszczania wątroby te produkty są wykluczone
- **TŁUSZCZE** – oleje roślinne rafinowane, w plastikowych, przezroczystych butelkach (słonecznikowy, z pestek winogron, kukurydziany), margaryny, roślinne tłuszcze utwardzone
- **PŁYNY** – napoje kolorowe, słodzone cukrem lub aspartamem, gazowane, soki z kartonów, owocowe sporządzone z zagęszczonych soków, cola, napoje alkoholowe, napoje energetyzujące, kawa, herbata czarna
- **DODATKI** – ocet spirytusowy, drożdże, majonez, sosy z torebki, przyprawy z glutaminianem sodu, ketchup itp.
- **SPOSOBY PRZYRZĄDZANIA POTRAW** – smażenie w panierce, smażenie w głębokim oleju, pieczenie w folii aluminiowej (aluminium jest toksyczne)
- **ALKOHOL** – utrudnia wchłanianie składników odżywczych, osłabia pracę wątroby

Oczywiście dodatkowo w diecie należy uwzględnić wszystkie swoje **nietolerancje pokarmowe**.

Od razu uspokajam: nie ma obawy, że eliminacja nabiału spowoduje niedobory wapnia. Jest go dużo w wielu innych produktach, takich jak:

- **pasta tahini lub sezam** – w 2 łyżkach jest aż 130 mg wapnia
- **pomarańcza** – 1 szklanka soku daje 300 mg wapnia
- **napoje roślinne migdałowe, orzechowe, ryżowe** – 1 szklanka zawiera ok. 200–300 mg wapnia
- **amarantus** – 1 szklanka ma ok. 275 mg wapnia
- **rzepa** – 1 szklanka tartej to ok. 250 mg wapnia
- **figi** – 4–5 sztuk to ok. 120 mg wapnia
- **fenkuł (koper włoski)** – średnia bulwa zawiera 115 mg wapnia
- **jarmuż** – 1 szklanka daje 180 mg wapnia
- **brokuły** – 1szklanka to ok. 95 mg wapnia
- **masło migdałowe** – 2 łyżki to 85 mg wapnia
- **czarne porzeczki** – 1 szklanka ma 62 mg wapnia
- **karczoch** – średni to 55 mg wapnia
- **jeżyny** – 1 szklanka to 40 mg wapnia
- **morele suszone niesiarkowane** – 50 g zawiera 35 mg wapnia

EKOLOGIA NA TALERZU!

Jak oczyścić warzywa i owoce z pestycydów? Można użyć specjalnych płynów do mycia, które wypłukują pozostałości chemii z roślin, albo zastosować następującą metodę domową:

- **Krok 1.** – woda o odczynie kwaśnym (1 l wody + 100 ml octu jabłkowego lub soku z cytryny) – płukanie przez 3 minuty usuwa szkodliwe bakterie.
- **Krok 2.** – woda o odczynie zasadowym (1 l wody + łyżka sody kuchennej) – płukanie przez 3 minuty usuwa przez hydrolizę pestycydy (są one specjalnie oleiste, aby na polu nie zmywał ich deszcz czy podlewanie).
- **Krok 3.** – woda o pH neutralnym (czysta woda z filtra) – płukanie przez 5 minut.

Które owoce i warzywa są najbardziej narażone na zanieczyszczenia chemią w postaci nawozów azotowych i środków ochrony roślin? Te, na które czekamy najbardziej, czyli nowalijki.

Nowalijki są to wczesne warzywa wiosenne, które pojawiają się jako pierwsze po zimie. Jednak w dzisiejszych czasach globalizacji pojęcie to traci swój pierwotny sens, ponieważ przez cały rok możemy kupić w sklepach warzywa, takie jak rzodkiewka, pietruszka, natka, młoda marchewka, pomidorki, botwinka, szczypiorek czy szpinak i cebula dymka.

Czy warto jeść nowalijki? Tak, ale pod pewnymi warunkami. Po pierwsze, Z EKOLOGICZNEJ UPRAWY, tylko ona gwarantuje, że pierwsze, nawet szklarniowe nowalijki, będą dla nas bezpieczne. Po drugie, odpowiednio PRZECHOWYWANE. Nigdy nie pakujmy ich do lodówki w foliowych workach, bo zawarta w nich wilgoć przyspiesza gnicie i rozwój pleśni oraz przemiany azotanów do azotynów, a tych do rakotwórczych nitrozamin. Również pleśnie są toksyczne i rakotwórcze!

Czy rzeczywiście nowalijki uzupełniają nasze niedobory żywnościowe po zimie? Tak, są pełne wartościowych składników odżywczych, minerałów i witamin, których jest mniej w warzywach mrożonych i poddawanych przed zjedzeniem obróbce termicznej, co dodatkowo powoduje utratę witamin, głównie C.

Przy okazji spytacie być może, które warzywa mają więcej minerałów i witamin: szklarniowe czy te dojrzewające w pełnym słońcu. W gruncie rzeczy różnica jest niewielka i wynika z braku dostępu do światła słonecznego. Większe straty zauważamy w smaku. Te z pola, dojrzewające na słońcu są słodsze, bo wytwarza się w nich więcej cukru i substancji zapachowych.

Pomidory szklarniowe dojrzewają często w atmosferze etylenu (gazu przyspieszającego dojrzewanie), nie umniejsza on jednak ich wartości odżywczych, bo wszystkie są zawarte już w zielonym pomidorze. (W domowych warunkach można zauważyć działanie etylenu który jest wytwarzany przez rośliny, umieszczając w jednym woreczku papierowym jabłko i niedojrzałego pomidora – po kilku dniach pomidor dojrzewa dzięki etylenowi wytwarzanemu przez jabłka!)

Czy hodowane w sztucznych warunkach warzywa mogą mieć wartość odżywczą? Czy pomidory ze szklarni mają mniej witaminy C? Jeśli są jakieś różnice to minimalne. Podobnie rodzaj podłoża, na którym są hodowane, nie wpływa radykalnie na zawartość witamin i minerałów. Jedynie brak światła słonecznego zubaża je nieco w witaminę C i flawonoidy (barwniki roślinne). Jeśli roślina dojrzewa w słońcu, ma więcej barwników, jest intensywniej czerwona, fioletowa czy zielona niż ta ze szklarni. Wybierając bardziej kolorowe warzywa i owoce, mamy większą pewność, że miały styczność ze słońcem i są bogatsze w antynowotworowe barwniki antyoksydacyjne.

W JAKI SPOSÓB UPRAWIANE SĄ NOWALIJKI I JAK WPŁYWA TO NA ICH WŁAŚCIWOŚCI?

Są różne sposoby uprawy nowalijek:

- na podłożu klasycznym – mieszaninie torfu i ziemi z liśćmi oraz nawozów i składników mineralnych;
- w uprawie hydroponicznej – korzenie znajdują się w mieszance płynnej wody i składników mineralnych.

Jedyny problem w takich rodzajach uprawy stanowi ilość i rodzaj nawozów użytych do hodowli. Jeśli producent chce wyhodować duże okazy, które urosną szybciej, to niestety są one dla nas bardziej szkodliwe niż te rosnące powoli, w naturalnym tempie wegetacyjnym. Nie ma to jednak znacznego wpływu na wartości odżywcze.

Czy nawozy używane do uprawy nowalijek mogą mieć wpływ na nasze zdrowie? Niestety ogromny. Głównym składnikiem nawozów sztucznych są azotany, które po spożyciu ulegają w organizmie przemianom do azotynów, a te do rakotwórczych nitrozamin. Ponadto nadmiar azotanów w pożywieniu prowadzi do unieczynnienia czerwonego barwnika krwi – hemoglobiny, która ulega przemianom w methemoglobinę, tracąc zdolność transportu żelaza i tlenu. Prowadzi to do gorszego natlenowania organizmu, anemii i niedostatecznego ciśnienia tętniczego. Może to prowadzić do sinicy u niemowląt (co wykazały badania WHO z 1986 roku), wywołując tzw. efekt *blue baby*, spowodowany nadmiarem azotanów w wodzie lub pożywieniu.

Ogólnie mówiąc, wszystkie warzywa zielone, czerwone, intensywnie kolorowe, jędrne i dojrzałe są bogate w wartości odżywcze. Gorzej z tymi przywiędłymi i pożółkłymi. Dlatego na początku wiosny polecam **hodować kiełki**, które mają 400–700 razy więcej wartości odżywczych niż dorosła roślina i jeśli są ekologiczne, to są bezpieczne do spożycia przez małe dzieci.

Kto nie powinien jeść nowalijek?

- Alergicy
- Wrzodowcy
- Osoby z zespołem jelita wrażliwego
- Niemowlęta i małe dzieci

Jak wybierać nowalijki i jak pozbywać się niepożądanych pestycydów?

- Unikać okazów bardzo dużych – na pewno są sztucznie pędzone!
- Unikać zwiędłych, pożółkłych i niewyglądających na jędrne.
- Wybierać nowalijki z upraw ekologicznych.

Zasady postępowania z warzywami, zwłaszcza nowalijkami

- Ponieważ azotany i azotyny doskonale rozpuszczają się w wodzie, warto wykorzystać tę cechę przeciwko nim i pozbyć się choć częściowo tych nawozów z zakupionych warzyw, dokładnie myjąc je i namaczając w wodzie (ok. 30 minut).
- **WARZYWA KORZENIOWE** (marchewki, pietruszki, buraki itd.) najwięcej nawozów kumulują w skórce, dlatego **zawsze obierajmy młode warzywa ze skórki**!
- **WARZYWA LIŚCIASTE** kumulują azotany w liściach **zewnętrznych, głąbie i nerwach liści,** usuńmy je więc i wykrawajmy środek z młodej kapusty.
- Młode warzywa chłoną z gleby z dużą siłą nie tylko nawozy sztuczne, ale także zanieczyszczenia. Dlatego **młodą marchew** dokładnie myjny i obierajmy ze skórki, odcinajmy nać wraz z zieloną częścią korzenia. Nie wyciskajmy z niej soku; poczekajmy, aż nie trzeba będzie sztucznie przyspieszać jej wzrostu.
- **Młode rzodkiewki** dokładnie płuczmy i odcinajmy ogonki, a także pozostawmy na kilka minut w zimnej wodzie.
- **Brokuły i kalafiory** po wypłukaniu przełóżmy do zimnej wody z dodatkiem soku z cytryny i pozostawmy na 10–15 minut.
- **Młody koperek** – delikatne wyskubmy gałązki, a odrzućmy grubą łodygę, w której kumulacja azotynów jest największa.
- **Szpinak i sałatę** pozbawiamy zewnętrznych liści i dokładnie płuczemy w zimnej wodzie.
- **Młody ogórek** po umyciu obieramy ze skórki.
- **Pierwsze ziemniaki i buraki** dokładnie płuczemy i grubo obieramy ze skórki.

WYHODUJ NOWALIJKI!

Jeśli bardzo zależy Ci na młodym szczypiorku czy natce pietruszki, wyhoduj je samodzielnie! Wystarczy włożyć cebulę do wody, a odcięty korzeń zimowej pietruszki umieścić w pojemniku z ziemią. Po kilku dniach mamy swoją zieleninę. Warto też wysiewać własną rzeżuchę z dobrej jakości nasion, a najgoręcej polecam hodować wiosenne nowalijki w postaci kiełków!

ROZDZIAŁ 2

WIOSENNY DETOKS

Myśl przewodnia diety wiosenny detoks brzmi:

DANIA SZYBKIE, MAŁO SKOMPLIKOWANE I OCZYWIŚCIE PYSZNE!

Obiecuję, że czas przygotowania każdej potrawy nie przekroczy 20–30 minut!

- 2 dni – węglowodany (kasze, bataty, marchewki, buraki) + białko (mięso drobiowe, chude ryby, jajka) + warzywa + owoce
- 2 dni – białko z warzywami
- 1 dzień – warzywa + owoce
- 2 dni – węglowodany + warzywa + owoce + orzechy (laskowe, włoskie, nerkowce, brazylijskie, pestki dyni, słonecznika, migdały, chia, siemię lniane)

Aby szybko gotować pyszne zupy, dobrze mieć pod ręką takiego pomocnika jak przyprawa nadająca głębię smaku. Żeby uniknąć przy tym chemii i glutaminianu w gotowych kostkach ze sklepu, warto wykonać własną pastę, potem przełożyć ją do foremek na kostki do lodu i wrzucać do wody, by w błyskawiczny sposób uzyskać pyszny, aromatyczny bulion.

DOMOWA PASTA BULIONOWA Z LUBCZYKIEM

składniki

- pęczek lubczyku
- pęczek natki pietruszki
- 4 zmielone liście laurowe

- 10 ziaren ziela angielskiego
- 1 łyżeczka papryki słodkiej
- 4 suszone grzyby
- 2 łyżki nasion czarnego pieprzu
- 2 łyżki suszonego lub świeżego rozmarynu
- 1 łyżeczka kurkumy
- szczypta mielonego imbiru
- główka czosnku
- 0,5 kg marchwi
- 1 duża cebula
- 1 duża pietruszka
- 2 łodygi selera naciowego
- 1 mała bulwa selera
- 1 por
- 2 duże łyżki soli himalajskiej
- 4 łyżki oleju rzepakowego lub oliwy
- 100 ml wody

wykonanie

Warzywa ścieramy na tarce lub drobno siekamy. Pieprz, ziele angielskie i grzyby rozcieramy w moździerzu, mieszamy z kurkumą, imbirem, zmielonymi liśćmi laurowymi i suszonym tymiankiem.

Na oleju szklimy przez minutę drobno pokrojoną cebulkę, dodajemy wymieszane przyprawy oraz pokrojony por i dusimy jeszcze przez minutę. Dodajemy starte warzywa, dokładnie mieszamy wszystko drewnianą łyżką, solimy i przesmażamy przez minutę. Dolewamy wodę i dusimy przez ok. 40 minut, aż się zredukuje, a warzywa zmiękną, w razie potrzeby podlewając wodą. Pod koniec gęstą masę warzywną miksujemy na gładko.

Masę przekładamy do pojemniczków na lód. Możemy przechowywać ją w zamrażarce nawet kilka miesięcy. Dodajemy bezpośrednio do gotowanej zupy.

SUSZONA PRZYPRAWA DO BULIONU

Aby uzyskać bulion w formie suszonej, mielimy w malakserze suszone zioła i warzywa:

- 1 łyżkę kurkumy
- 4 suszone grzyby
- 4 łyżki suszonej natki pietruszki
- 4 łyżki suszonego selera
- 4 łyżki suszonej cebulki suszonej lub prażonej
- 2 łyżki czosnku niedźwiedziego
- 1 łyżeczkę czosnku granulowanego
- 4 łyżki suszonego lubczyku
- 5 ziaren ziela angielskiego
- 5 liści laurowych
- 100 g suszonej marchewki (możesz użyć tzw. chipsów warzywnych marchewkowych)
- 1 łyżeczkę soli
- 1 łyżeczkę pieprzu

Następnie dokładnie mieszamy i przechowujemy w słoiku. Dodajemy do gotującej się wody na zupę.

UWAGI:

Jeśli nie jadasz mięsa i ryb, przygotowałam dla Ciebie przepisy zmodyfikowane dla wersji roślinnej. Dieta wege jest również atrakcyjna :)

TYDZIEŃ I

do picia w tym tygodniu polecam:

NAPÓJ Z ALOESEM, IMBIREM I CYTRYNĄ

- 50 ml soku z aloesu + 50 ml soku z cytryny + 4 plasterki imbiru + 400 ml wody

Imbir zalewamy odrobiną wrzątku i czekamy aż wystygnie,
dolewamy wodę, sok z cytryny i aloesu, mieszamy. Pijemy w ciągu dnia.

DNI 1.–2.

ŚNIADANIE: KASZA PĘCZAK Z BOTWINKĄ I MAJOWĄ POKRZYWĄ – 2 PORCJE

składniki

- 1 szklanka kaszy pęczak
- 1 pęczek botwinki
- 1 szklanka liści majowej pokrzywy sparzonej wrzątkiem (lub świeży szpinak)
- 1 mały młody por
- pęczek szczypiorku
- pęczek natki pietruszki
- 50 g sera feta
- sól himalajska, pieprz, tymianek, oregano
- 1 łyżka oliwy

wykonanie

Kaszę namaczamy, płuczemy i gotujemy do miękkości.

Na oliwie szklimy por przez około minutę, dodajemy sól, pieprz i posiekaną botwinkę z pokrojonymi burakami oraz liście pokrzywy. Doprawiamy ziołami. Dusimy przez 5 minut.

Do kaszy dodajemy warzywa z patelni, posiekany szczypiorek, natkę i pokruszony ser feta.

DRUGIE ŚNIADANIE: KOKTAJL ZIELONY Z JARMUŻEM (300 ML)

składniki

- 1 duża marchewka
- 1 limonka bez skórki

- 1 szklanka jarmużu
- 1 kwaśne jabłko

wykonanie

Wszystkie składniki wyciskamy w wyciskarce lub miksujemy ze 100 ml wody mineralnej.

OBIAD: CURRY Z ŁOSOSIEM I BROKUŁAMI Z MLECZKIEM KOKOSOWYM – 2 PORCJE

składniki

- 300 g łososia dzikiego lub atlantyckiego, lub dorsza (w wersji wege możesz użyć 200 g tofu)
- 200 ml mleczka kokosowego
- kilka gałązek natki lub świeżej kolendry
- 1 mała cukinia
- kawałek małego pora
- 1 mały brokuł
- 1 łyżka oleju kokosowego
- sok z 1 limonki
- 1 łyżka sezamu
- sól himalajska, pieprz, trawa cytrynowa, 2 listki kafiru (opcjonalnie)

wykonanie

Rybę (tofu) skrapiamy sokiem z kimonki i przyprawiamy solą i pieprzem.

Na oliwie przez około minutę podduszamy pokrojony w plasterki por, posypujemy go solą i pieprzem.

Następnie dodajemy pokrojoną cukinię oraz brokuł i wlewamy mleczko kokosowe. Przyprawiamy trawą cytrynową, dodajemy liście kafiru i dusimy przez 5 minut. Wkładamy kawałki ryby (tofu) i dusimy przez kolejne 5 minut. Podajemy posypane ziołami i sezamem.

SURÓWKA Z CHRZANEM

składniki

- 1 kawałek pora
- 2 łodygi selera naciowego
- 1 jabłko
- 1 fenkuł (opcjonalnie)
- 1 marchewka
- 1 cebula dymka ze szczypiorkiem
- sól morska, pieprz czarny

sos chrzanowy

mieszamy 50 g jogurtu greckiego + 2 łyżeczki chrzanu + pieprz + posiekany koperek

wykonanie

Por, fenkuł i seler kroimy w cienkie plasterki, marchewkę we wstążki, a szczypiorek w kostkę. Mieszamy. Dodajemy starte jabłko. Przyprawiamy do smaku. Mieszamy z sosem chrzanowym.

PODWIECZOREK: SOK ZE ŚWIEŻEGO GREJPFRUTA (300 ML)

KOLACJA: SAŁATKA Z FENKUŁEM, KURCZAKIEM I POMARAŃCZAMI – 2 PORCJE

składniki

- filet z kurczaka lub 300 g filetu z indyka (w wersji wege szklanka ugotowanej komosy ryżowej)
- sałata rzymska
- 50 g rukoli lub szpinaku
- 2 dojrzałe pomarańcze
- 10 świeżych truskawek lub malin
- 1 mango
- 2 łyżki pestek dyni

marynata do kurczaka
łyżeczka oliwy, łyżeczka miodu płynnego, łyżeczka musztardy, łyżka soku z limonki

dressing do sałatki
posiekana świeża mięta i świeża bazylia (po 1 łyżce), łyżka oliwy, łyżeczka płynnego miodu, sok z limonki

wykonanie

Filet kroimy w paski i marynujemy przez 15 minut. Smażymy pod przykryciem. Na talerz wykładamy sałatę, kawałki kurczaka lub ugotowaną kaszę, obrane i pokrojone kawałki pomarańczy i mango. Na koniec polewamy dressingiem oraz posypujemy pestkami dyni i świeżymi pokrojonymi truskawkami.

DNI 3.–4.

ŚNIADANIE: JAJECZNICA Z JARMUŻEM I POMIDORKAMI – 2 PORCJE

składniki

- 1 szklanka liści jarmużu (szpinaku)
- 2 jajka
- 10 kolorowych pomidorków
- 1 łyżka oliwy
- dymka ze szczypiorkiem
- sól himalajska, pieprz
- 1 łyżka orzechów piniowych uprażonych na suchej patelni lub włoskich surowych

wykonanie

Jarmuż rwiemy na małe kawałki i parzymy wrzątkiem. Zostawiamy na 2 minuty, potem odsączamy.

Na patelni rozgrzewamy olej, wrzucamy posiekaną cebulę dymkę i liście jarmużu. Solimy, dodajemy pieprz i dusimy przez 2 minuty. Wbijamy jajka, dodajemy szczypiorek i smażymy przez 1–2 minuty do uzyskania pożądanej konsystencji. Na koniec wrzucamy pokrojone pomidorki i posypujemy szczypiorkiem. Podajemy posypane prażonymi orzechami piniowymi lub surowymi włoskimi.

DRUGIE ŚNIADANIE: KOKTAJL CZERWONY Z BURAKIEM (300 ML)

składniki

- 1 duża marchewka
- 2 duże buraki
- 1 cytryna bez skórki i pestek
- 1 grejpfrut bez skórki i pestek
- kilka łodyg natki pietruszki

wykonanie

Wszystkie składniki wyciskamy w wyciskarce lub miksujemy ze 100 ml wody mineralnej.

OBIAD: ZUPA TAJSKA Z KREWETKAMI – 2 PORCJE

składniki

- 200 ml mleczka kokosowego
- 300 g krewetek gotowanych obranych lub mrożonych albo 200 g filetu z drobiu (lub 100 g naturalnego silken tofu w wersji wege)
- 1 łyżka pasty curry zielonej lub czerwonej, lub zwykłe curry bez glutaminianu sodu
- sok i skórka otarta z 1 limonki
- 2 łyżeczki oleju rzepakowego
- 100 g pieczarek
- 2 ząbki czosnku
- 1 żółta papryka
- 1 cebulka dymka lub zwykła
- świeża kolendra lub natka pietruszki

- łyżeczka sosu sojowego
- sól, pieprz, szczypta startego świeżego imbiru, opcjonalnie 2 listki kafiru

wykonanie

Do garnka wlewamy mleczko kokosowe i 2 szklanki wody. Przyprawiamy solą, pieprzem, skórką z limonki, pastą curry oraz sosem sojowym i gotujemy przez 10 minut.

Krewetki obieramy, skrapiamy sokiem z kimonki i odrobiną oleju, posypujemy solą i pieprzem. Jeśli są mrożone, gotujemy je w zupie. Jeśli świeże – ugotowane wkładamy do zupy na końcu. Jeśli używamy mięsa z drobiu, dodajemy je do gotującej się zupy.

Pieczarki i paprykę kroimy w plasterki i przesmażamy z posiekaną cebulką i czosnkiem na 1 łyżeczce oleju. Przyprawiamy solą, pieprzem i szczyptą imbiru. Dodajemy do gotującej się zupy, dorzucamy liście kafiru i gotujemy całość przez kolejne 10 minut.

Na dno talerza wykładamy krewetki, zalewamy gorącą zupą i posypujemy kolendrą.

PODWIECZOREK:

1 szklanka soku z buraka, marchewki albo pomidorów, lub miksu buraka z marchewką, selerem naciowym i natką pietruszki

KOLACJA: SAŁATKA ZE SZPINAKIEM I WOŁOWINĄ Z NUTĄ MALINOWĄ – 2 PORCJE

składniki

- 100 g polędwicy wieprzowej lub wołowej albo filet z kurczaka (lub w wersji wege 1 szklanka ugotowanej ciecierzycy)
- opakowanie szpinaku do sałatek
- 1 szklanka świeżych malin

- 1 paczka rukoli
- 1 czerwona cebula
- kilka pomidorków koktajlowych
- 1 łyżka płatków migdałowych
- świeża mięta
- 1 łyżka sosu sojowego jasnego
- 2 łyżeczki oliwy
- sól morska, pieprz czarny, cynamon

dressing malinowy

4 łyżki przecieru malinowego lub malin mrożonych + 2 łyżki musztardy Dijon + 1 łyżeczka sosu balsamicznego + 1 łyżka oliwy + szczypta posiekanej świeżej mięty

wykonanie

Mięso kroimy na paski w poprzek włókien, skrapiamy sosem sojowym, doprawiamy szczyptą cynamonu i pieprzem. Odstawiamy na 10 minut. Następnie grillujemy po 3 minuty z każdej strony.

Cebulę kroimy w piórka, mieszamy z zieleniną. Układamy kawałki mięsa (ciecierzycę) i pokrojone pomidorki, polewamy sosem oraz dodajemy maliny, świeżą miętę i płatki migdałowe.

DZIEŃ 5.

ŚNIADANIE: SAŁATKA Z BOTWINKĄ I GRUSZKĄ – 2 PORCJE

składniki

• 2 garście liści botwinki (100 g)
• garść świeżego szpinaku
• 1 awokado
• 1 mały burak
• 1 marchewka
• 1 gruszka
• sok z 1 limonki
• świeże kiełki rzodkiewki
• świeża bazylia
• 2 łyżki orzechów włoskich
• czubryca zielona lub cząber suszony, czosnek granulowany, suszona natka pietruszki, sól morska, pieprz

dressing miodowo-musztardowy
mieszamy 1 łyżeczkę płynnego miodu, 2 łyżki musztardy, 2 łyżki oliwy, 1 łyżkę soku z limonki, pieprz

wykonanie

Szpinak i botwinkę dokładnie myjemy i osuszamy na papierowym ręczniku.

Gruszkę kroimy w plasterki i skrapiamy sokiem z limonki. Na talerzu układamy botwinkę ze szpinakiem, bazylią i kiełkami; na to startą na tarce do warzyw marchewkę w paskach i buraka pokrojonego w drobniutkie zapałki. Dookoła układamy plasterki gruszki, a na wierzch sałatki wykładamy kawałki awokado skropione sokiem z limonki. Przyprawiamy do smaku. Polewamy wszystko dressingiem i posypujemy orzechami.

DRUGIE ŚNIADANIE: PORCJA SAŁATKI

OBIAD: ZUPA KREM Z BIAŁYCH WARZYW ZE SZPARAGAMI – 2 PORCJE

składniki

- 200 g kalafiora
- garść liści majowej pokrzywy /szpinaku
- 1 fenkuł
- 2 szalotki
- 2 ząbki czosnku
- bulwa selera
- 1 por
- 1 pietruszka
- 1 cukinia
- 1 pęczek zielonych szparagów lub 200 g zielonej fasolki szparagowej
- 200 ml mleczka kokosowego
- 500 ml bulionu warzywnego (może być z kostki eko)
- sól himalajska, pieprz, gałka muszkatołowa
- świeża szałwia lub natka pietruszki
- 2 łyżeczki masła klarowanego lub oleju kokosowego, albo rzepakowego

wykonanie

Na maśle (oleju) szklimy posiekaną szalotkę i por, solimy i dusimy przez 3 minuty. Dodajemy resztę obranych i drobno pokrojonych warzyw (oprócz szparagów) i smażymy przez 5 minut, dokładnie mieszając. Następnie zalewamy bulionem, dodajemy liście pokrzywy (szpinaku) i gotujemy 20–30 minut. Miksujemy.

Dolewamy mleczko kokosowe, doprawiamy pieprzem, solą, gałką muszkatołową i zagotowujemy (5 minut). Na koniec wrzucamy szparagi i gotujemy jeszcze przez 2 minuty. Na talerzu podajemy posypane świeżymi ziołami.

PODWIECZOREK: MALINOWY KOKTAJL DETOKS (300 ML)

składniki

- 1 kubek malin
- 1 kubek szpinaku
- 100 ml mleka roślinnego
- 50 ml wody mineralnej
- świeża mięta

wykonanie

Wszystkie składniki miksujemy na smoothie.

KOLACJA: PORCJA ZUPY Z OBIADU

DNI 6.–7.

ŚNIADANIE: KOMOSA RYŻOWA Z JARMUŻEM I ORZECHAMI – 2 PORCJE

składniki

- 1 szklanka suchej komosy ryżowej
- 1 łodyga selera naciowego
- cebula dymka ze szczypiorkiem
- 1 szklanka świeżego jarmużu
- 1 ząbek czosnku
- 2 łyżki orzechów włoskich

- 1 łyżka oliwy
- sól himalajska, pieprz

wykonanie

Komosę dokładnie płuczemy pod bieżącą wodą i gotujemy przez 15 minut w lekko osolonej wodzie.

Na oliwie szklimy przez minutę cebulę dymkę bez szczypiorku i posiekany seler. Dodajemy sól, pieprz, czosnek i porwany na małe kawałki jarmuż. Dusimy pod przykryciem przez 3 minuty.

Do odsączonej komosy dodajemy warzywa z patelni. Posypujemy orzechami włoskimi i mieszamy z posiekanym szczypiorkiem.

DRUGIE ŚNIADANIE: SMOOTHIE Z MANGO I OGÓRKA (300 ML)

składniki

- 1 mango bez skórki
- 1 ogórek bez skórki
- 1 limonka bez skórki
- 200 ml wody mineralnej
- mięta

wykonanie

Wszytkie składniki miksujemy na smoothie.

OBIAD: INDYK W SOSIE KOKOSOWYM Z BOBEM I MIĘTĄ – 2 PORCJE

składniki

- 200 g indyka lub mięsa drobiowego (lub w wersji wege 1 szklanka ugotowanej soczewicy)
- 200 ml mleczka kokosowego
- 1 szklanka młodego bobu (ugotowanego i obranego ze skórki)
- 1 ząbek czosnku
- 2 szklanki szpinaku
- 1 por
- ½ kubka świeżej mięty
- ½ kubka majowej pokrzywy
- pieprz, sól himalajska, tymianek
- 2 łyżeczki oliwy lub oleju kokosowego
- sok z 1 limonki

wykonanie

Mięso kroimy w wąskie paseczki. Przyprawiamy solą i pieprzem. Na oliwie podduszamy przez 3 minuty mięso i krążki pora. Dodajemy pokrojony czosnek. Wlewamy mleczko kokosowe, dodajemy szczyptę tymianku, odrobinę soku z limonki oraz pieprz i dusimy przez 15 minut na małym ogniu. Następnie dorzucamy bób, szpinak, pokrzywę oraz miętę i dusimy jeszcze 2 minuty.

SAŁATKA Z TRUSKAWKAMI I SZPINAKIEM – 2 PORCJE

składniki

- opakowanie szpinaku sałatkowego (100 g)
- 10 dojrzałych jędrnych truskawek
- 1 pomarańcza
- 1 kulka mozzarelli
- 2 łyżki siemienia lnianego
- świeża mięta
- 2 łyżki dowolnych kiełków (np. brokułu)

dressing pomarańczowo-miodowy
mieszamy 2 łyżeczki musztardy, 2 łyżeczki miodu, 2 łyżeczki oleju rzepakowego, sok z ½ pomarańczy, 2 łyżki świeżej mięty, kawałek startego imbiru

wykonanie

Szpinak mieszamy z kiełkami, cząstkami pomarańczy i pokrojonymi truskawkami. Łączymy z rozdrobnioną mozzarellą, polewamy sosem, posypujemy siemieniem i miętą.

PODWIECZOREK:

300 ml jogurtu z łyżką siemienia lnianego, 200 g truskawek, malin lub wiśni bez pestek, posypane pokruszonymi migdałami

KOLACJA: WIOSENNA POMIDOROWA Z KOMOSĄ RYŻOWĄ – 2–4 PORCJE

składniki

- młoda włoszczyzna (por, marchewka, pietruszka, seler)
- 2 ząbki czosnku
- 3 komosy ryżowej (quinoa) lub kaszy jaglanej
- 500 g krojonych pomidorów (lub passata pomidorowa)
- por
- dymka ze szczypiorkiem
- suszony lubczyk, tymianek, sól morska, pierz czarny, ziele angielskie, liść laurowy
- 2 łyżeczki masła klarowanego, oleju kokosowego lub oliwy

wykonanie

Por i czosnek kroimy w plasterki, solimy i szklimy na maśle klarowanym / oleju kokosowym/oliwie przez 5 minut. Zalewamy litrem wody, wrzucamy pokrojoną włoszczyznę, wypłukaną komosę lub kaszę oraz przyprawy i gotujemy przez 15 minut. Dodajemy pomidory lub przecier i gotujemy jeszcze przez 10 minut. Zupę podajemy posypaną szczypiorkiem.

LISTA ZAKUPÓW – TYDZIEŃ I

PRODUKTY ZBOŻOWE

- 1 szklanka suchego pęczaku
- 1 szklanka suchej komosy ryżowej
- 30 g suchej kaszy jaglanej lub komosy ryżowej

PRODUKTY NABIAŁOWE

- 50 g sera feta
- 50 g jogurtu greckiego
- 300 ml naturalnego jogurtu probiotycznego
- 2 jajka
- 1 mozzarella

PRODUKTY PŁYNNE

- 1 litr soku z aloesu bez konserwantów
- 800 ml mleczka kokosowego, gęstego, minimum 82% tłuszczu
- 300 ml soku ze świeżego grejpfruta
- 300 ml soku z buraka, marchewki lub innego warzywnego
- 100 ml mleka roślinnego

MIĘSO/ RYBY

- 300 g łososia dzikiego lub atlantyckiego, lub dorsza (w wersji wege 200 g tofu)
- filet z kurczaka lub 300 g filetu z indyka (w wersji wege szklanka ugotowanej komosy ryżowej)
- 300 g krewetek gotowanych obranych lub mrożonych lub 200 g filetu z drobiu (w wersji wege 100 g naturalnego silken tofu)
- 100 g polędwicy wieprzowej lub wołowej albo filet z kurczaka (w wersji wege szklanka ugotowanej ciecierzycy)
- 200 g indyka lub mięsa drobiowego (w wersji wege 1 szklanka ugotowanej soczewicy)

WARZYWA

- pęczek włoszczyzny (por, marchewka, pietruszka, seler)
- korzeń imbiru
- bób świeży lub mrożony – 1 szklanka
- ogórek zielony długi
- 1 bulwa selera
- 500 g krojonych pomidorów (lub passata pomidorowa)
- 2 cebule szalotki
- 1 korzeń pietruszki
- duży pęczek natki pietruszki
- duży pęczek botwinki
- świeża pokrzywa lub szpinak – 3 szklanki
- 2 duże pory
- szczypiorek
- rukola lub szpinak sałatkowy – 150 g
- cebula czerwona
- zielone szparagi pęczek lub fasolka szparagowa – 200 g
- 4 marchewki
- 3 łodygi selera naciowego
- 100 g jarmużu

- 2 cukinie
- 3 buraki
- główka brokułu
- 3 dymki ze szczypiorkiem
- 2 duże fenkuły (opcjonalnie)
- pęczek koperku
- doniczka mięty
- doniczka bazylii
- 20 pomidorków koktajlowych (czerwonych lub kolorowych)
- 100 g pieczarek
- główka czosnku
- 50 g kiełków rzodkiewki
- 200 g kalafiora
- sałata rzymska
- 1 żółta papryka
- 2 opakowania szpinaku do sałatek

OWOCE

- 2 cytryny
- 1 grejpfrut
- 1 gruszka
- 1 miękkie awokado
- 4 limonki
- 2 duże kwaśne jabłka
- 3 pomarańcze
- 150 g truskawek lub malin
- 300 g truskawek
- 200 g malin
- 2 mango

DODATKI

- 500 ml bulionu warzywnego
- lubczyk suszony
- ziele angielskie
- liść laurowy
- oliwa
- olej rzepakowy tłoczony na zimno nierafinowany
- olej kokosowy lub masło klarowane
- tymianek suszony
- czubryca zielona
- cząber
- czosnek granulowany
- natka pietruszki suszona
- oregano
- gałka muszkatołowa
- sól himalajska
- cynamon
- ocet lub sos balsamico (opcjonalnie)
- pieprz
- sezam
- 30 g orzechów laskowych
- 1 gałązka trawy cytrynowej
- 50 g pestek dyni
- 30 g orzeszków piniowych lub włoskich
- liście kafiru (opcjonalnie)
- 30 g chrzanu
- 30 g miodu płynnego
- 30 g musztardy Dijon
- pasta curry zielona lub czerwona lub przyprawa curry bez glutaminianu sodu
- 20 ml sosu sojowego bez glutaminianu
- 30 g płatków migdałowych
- 20 g siemienia lnianego

TYDZIEŃ II

do picia w tym tygodniu polecam:

SOK Z ŻURAWINY

- 50 ml soku niesłodzonego, niezagęszczonego, wymieszanego z 450 ml wody

DNI 8.–9.

ŚNIADANIE: ZAPIEKANA KASZA JAGLANA Z OWOCAMI PO TAJSKU – 2 PORCJE

składniki

- 1 szklanka suchej kaszy jaglanej
- 200 ml mleczka kokosowego lub migdałowego
- 2 łyżki orzechów włoskich
- garść świeżej bazylii
- 1 kubek malin i borówek, wiśni bez pestek lub 200 g czarnej porzeczki
- wanilia w lasce
- 1 cm korzenia imbiru

dressing

mieszamy 1 łyżkę płynnego miodu + 3 łyżki soku z limonki + 1 łyżeczkę oleju kokosowego nierafinowanego + szczyptę cynamonu i mielonego kardamonu

wykonanie

Kaszę płuczemy pod gorącą wodą na sitku i gotujemy przez około 15 minut w mleczku kokosowym z dodatkiem połowy szklanki wody i przekrojonej wzdłuż laski wanilii. Następnie mieszamy z dressingiem, startym imbirem oraz owocami i posypujemy orzechami. Przekładamy do naczynia żaroodpornego i zapiekamy przez 5 minut w 180°C. Zapiekankę podajemy posypaną ziołami i udekorowaną świeżymi owocami.

DRUGIE ŚNIADANIE: SOK DETOKS (300 ML)

składniki

- 2 marchewki
- 2 buraki
- 1 jabłko
- imbir 5 cm
- 1 cytryna
- 5 gałązek natki pietruszki

wykonanie

Wszystkie składniki wyciskamy w wyciskarce.

OBIAD: POLĘDWICZKI DROBIOWE W KOKOSOWEJ PANIERCE – 2 PORCJE

składniki

- 300 g polędwiczek drobiowych (w wersji wege 300 g batatów)
- 3 łyżki wiórków kokosowych

marynata
mieszamy starty kawałek 1 cm imbiru + sok z połowy limonki
+ 1 łyżeczkę miodu + 2 łyżki oliwy + szczyptę pieprzu cayenne + szczyptę soli himalajskiej

wykonanie

Mięso (batat) kroimy w paski lub plasterki i dokładnie smarujemy marynatą. Zostawiamy na 15 minut, następnie dokładnie obtaczamy w wiórkach i układamy na papierze do pieczenia. Pieczemy przez 15 minut w 170°C. Podajemy z sałatką:

- 100 g rukoli
- 1 owoc granatu
- 10 pomidorków koktajlowych
- 1 małe awokado

dressing z limonki
sok z 1 limonki łączymy z 2 łyżkami oliwy, miodem, startym świeżym imbirem, solą i pieprzem

Liście rukoli mieszamy z pokrojonym awokado, pestkami granatu oraz pokrojonymi pomidorkami i polewamy dressingiem.

300 ml jogurtu z ½ pokrojonego mango, miętą i łyżką orzechów nerkowych

KOLACJA: SAŁATKA NICEJSKA – 2 PORCJE

składniki

- 200 g łososia dzikiego lub pacyficznego (albo wędzonego tofu w wersji wege)
- 200 g brokułu
- 200 g fasolki szparagowej

- 1 jajko
- gałązka pomidorków koktajlowych (10 szt.)
- 1 sałata rzymska lub lodowa
- 2 łyżki posiekanych czarnych lub zielonych oliwek
- 2 łyżki orzechów włoskich lub nerkowca
- świeża bazylia
- 1 łyżeczka oliwy
- sól morska, pieprz czarny
- sok z 1 limonki

sos nicejski
2 łyżki musztardy Dijon + 1 łyżka kaparów + 2–3 fileciki anchois + 2 wyciśnięte ząbki czosnku + 2 łyżeczki octu z czerwonego wina + 3 łyżki oliwy + 2 łyżki posiekanej natki pietruszki – wszystko miksujemy na gładko i przyprawiamy solą i pieprzem.

wykonanie

Jajko wkładamy do zimnej, osolonej wody, włączamy palnik i od momentu zawrzenia wody gotujemy jeszcze 3 minuty. Następnie polewamy zimną wodą i obieramy ze skorupki.

Rybę (tofu) skrapiamy sokiem z limonki, posypujemy pieprzem i grillujemy przez 3 minuty.

Brokuły i fasolkę gotujemy *al dente* przez około 5 minut w lekko osolonym wrzątku. Na talerz wykładamy liście sałaty i odsączone warzywa. Polewamy porcją sosu. Na to układamy ugrillowaną rybę (tofu), pokrojone pomidorki, pokrojone ugotowane jajko. Całość polewamy sosem, posypujemy orzechami, ziołami oraz oliwkami.

DNI 10.–11.

ŚNIADANIE: JARMUŻOWA SAŁATKA Z PAPRYKĄ – 2 PORCJE

składniki

- 1 szklanka jarmużu
- 1 papryka czerwona
- 1 cebula czerwona
- gałązka pomidorków koktajlowych (10 szt.)
- 1 ogórek zielony
- 1–2 łodygi selera naciowego
- 10 oliwek czarnych lub zielonych
- 1 kulka mozzarelli
- 2 łyżki pestek z dyni
- sól morska, pieprz czarny

sos winegret

3 łyżeczki oliwy + 1 łyżka czerwonego octu winnego + 2 wyciśnięte ząbki czosnku + 1 łyżeczka suszonego oregano + 1 łyżka musztardy Dijon + sól, pieprz

wykonanie

Paprykę kroimy w kostkę, cebulę w piórka, seler i ogórek w plasterki, a oliwki w plastry. Na patelni rozgrzewamy oliwę. Wrzucamy warzywa, dodajemy jarmuż i dusimy przez 5 minut. Przyprawiamy solą i pieprzem, mieszamy. Dodajemy pokrojone na połówki pomidorki. Oprószamy pokruszoną mozzarellą i pestkami dyni. Posypujemy solą i pieprzem. Polewamy sosem.

DRUGIE ŚNIADANIE: SMOOTHIE Z BURAKIEM (300 ML)

składniki

- 1 cytryna
- 1 kubek wiśni bez pestek lub nasion granatu
- 1 burak
- kilka gałązek natki pietruszki
- 1 marchewka

wykonanie

Składniki wyciskamy w wyciskarce lub miksujemy z 50 ml wody na smoothie.

OBIAD: ŁOSOŚ W ZIELONEJ HERBACIE – 2 PORCJE

składniki

- 300 g filetu z łososia (lub w wersji wege 1 szklanka ugotowanej ciecierzycy)
- 2 łyżki oliwy z oliwek
- kawałek pora
- pieprz, sól morska, szczypta kolendry suszonej
- kilka ziarenek zielonej herbaty w listkach lub kuleczkach gunpowder
- 2 kawałki papieru do pieczenia

dressing z suszonych pomidorów
4 suszone pomidory zmiksowane z kilkoma listkami bazylii i 3 łyżkami oliwy oraz świeżym czosnkiem

wykonanie

Układamy na desce kwadratowe kawałki papieru do pieczenia. Na każdy arkusz wykładamy pokrojony w krążki por, kilka ziarenek lub listków zielonej herbaty, kawałek ryby (ciecierzycę) przyprawiony solą, kolendrą i pieprzem. Zawijamy papier na brzegach, aby nie było dopływu powietrza. Kładziemy na patelni grillowej lub na grillu w piekarniku (160°C) i pieczemy przez 8–10 minut. Podajemy polane sosem z suszonych pomidorów.

Łososia podajemy z surówką z kapusty kiszonej z orzechami.

SURÓWKA Z KAPUSTY KISZONEJ Z ORZECHAMI – 2 PORCJE

składniki

- 200 g kapusty kiszonej z marchewką
- 1 jabłko
- szczypta nasion kminku
- 1 czerwona cebula
- garść posiekanych orzechów włoskich
- 1 łyżka oleju rzepakowego nierafinowanego lub lnianego
- łyżka natki pietruszki
- sól morska
- pieprz świeży

wykonanie

Kapustę siekamy, jabłko ścieramy na tarce ze skórką, cebulę kroimy w kosteczkę. Mieszamy, oprószamy pieprzem i solą, dodajemy olej i kminek. Odstawiamy na 10 minut. Przed podaniem posypujemy orzechami i natką pietruszki.

PODWIECZOREK: SOK POMIDOROWY (300 ML)

KOLACJA: SAŁATKA ŚRÓDZIEMNOMORSKA W SŁOIKU – 2 PORCJE

składniki

- 1 ogórek
- ½ miękkiego awokado
- mała czerwona cebulka
- 10 oliwek
- 10 pomidorków koktajlowych
- 50 g sera feta twardego
- garść świeżej bazylii
- garść rukoli

sos ziołowo-musztardowy
2 łyżki oliwy + 2 łyżki soku z limonki + kawałek cebulki czerwonej + po szczypcie oregano, tymianku, świeżej natki pietruszki i świeżej bazylii + 1 łyżka musztardy Dijon + 1 łyżeczka miodu – wszystkie składniki miksujemy

wykonanie

Na dno słoiczków lub pojemniczków wykładamy pokrojony w plasterki ogórek, na to pokrojoną cebulkę, kawałki awokado, listki bazylii, oliwki, pokruszoną fetę, pokrojone pomidorki oraz rukolę. Polewamy sosem.

DZIEŃ 12.

ŚNIADANIE: ROLADKI Z CUKINII Z NERKOWCAMI – 1 PORCJA

składniki

- 1 cukinia
- ¼ szklanki orzechów nerkowca (namoczonych przez noc)
- sok z 1 limonki
- świeża bazylia i mięta
- sól, pieprz czarny
- 3 łyżki mleka kokosowego, migdałowego lub sojowego
- 1 ząbek czosnku
- 4 suszone pomidory
- 1 ogórek kiszony
- 6 czarnych oliwek

wykonanie

Cukinię kroimy obieraczką na cienkie plastry. Przyprawiamy szczyptą soli i pieprzu. Nerkowce odsączamy i miksujemy na gładką, kremową pastę z mlekiem, ogórkiem kiszonym, czosnkiem, świeżą bazylią i miętą oraz sokiem z limonki. Doprawiamy do smaku pieprzem i solą. Dodajemy posiekane pomidory i czarne oliwki. Na każdy plaster cukinii nakładamy pastę twarogową i zwijamy w roladkę. Roladki wstawiamy do lodówki, aby stężały.

DRUGIE ŚNIADANIE: KOKTAJL TRUSKAWKOWO-BAZYLIOWY (300 ML)

składniki

- 300 g truskawek bez szypułek
- 1 limonka bez skórki
- garść liści bazylii
- 50 ml wody mineralnej

wykonanie

Wszystkie składniki miksujemy z wodą.

OBIAD: CURRY Z ORZECHAMI – 2 PORCJE

składniki

- 1 młoda cukinia
- 3 rodzaje papryki
- 1 fenkuł lub kawałek pora
- 1 czerwona cebula
- 20 g orzechów nerkowca
- 150 ml mleczka kokosowego
- szczypta kurkumy, świeży imbir, chili, miód, curry, ostra papryka
- sok z 1 limonki
- natka pietruszki lub kolendry
- 2 łyżeczki oleju sezamowego lub rzepakowego

wykonanie

Na oliwie prażymy przyprawy (curry, ostrą paprykę, szczyptę chili) przez minutę. Dodajemy pokrojone warzywa i dusimy przez 10 minut. Dodajemy świeży imbir, kurkumę, orzechy, miód oraz sok z limonki, wlewamy mleczko kokosowe i dusimy przez 5 minut. Na koniec posypujemy zieleniną.

PODWIECZOREK: PIETRUSZKOWY KOKTAJL DETOKS (300 ML)

składniki

- ½ pęczka natki pietruszki
- 1 obrana cytryna
- 1 grejpfrut bez skórki
- 1 szklanka pokrojonego arbuza
- 100 ml wody mineralnej

wykonanie

Wszystkie składniki miksujemy na smoothie.

KOLACJA: PORCJA CURRY Z ORZECHAMI

DNI 13.–14.

ŚNIADANIE: KOMOSA RYŻOWA Z BROKUŁAMI I SUSZONYMI POMIDORAMI – 2 PORCJE

składniki

- 1 szklanka komosy ryżowej
- 1 mała główka brokułu
- 6 suszonych pomidorków
- 2 łyżki orzechów laskowych, włoskich lub migdałów
- 1 kawałek pora
- cebula dymka ze szczypiorkiem
- 1 ząbek czosnku
- 2 łyżki oliwy lub oleju kokosowego
- sól morska, pieprz czarny

wykonanie

Komosę płuczemy i gotujemy przez 10 minut w 3 szklankach lekko osolonej wody. Na ostatnie 5 minut dorzucamy kawałki brokułu i gotujemy je razem z komosą. Możemy również nałożyć na garnek nakładkę do gotowania na parze i uparować brokuł. Komosę i warzywa odsączamy na sitku.

Na oliwie szklimy przez 2 minuty pokrojony por, czosnek i cebulkę dymkę bez szczypiorku. Posypujemy solą, pieprzem.

Do komosy z brokułem dodajemy warzywa z patelni. Mieszamy z pokrojonymi suszonymi pomidorkami, garścią świeżego szpinaku i orzechami.

DRUGIE ŚNIADANIE: ZIELONE SMOOTHIE AGRESTOWE (300 ML)

składniki

- 1 szklanka jarmużu
- 1 szklanka agrestu lub 2 kiwi
- 2 kwaśne jabłka
- kawałek imbiru

wykonanie

Składniki wyciskamy w wyciskarce lub miksujemy jarmuż, imbir i agrest (kiwi) z 200 ml tłoczonego soku z jabłek.

OBIAD: ZUPA KREM Z BROKUŁU Z GRUSZKĄ – 2 PORCJE

składniki

- 1 brokuł
- 2 twarde gruszki
- 1 łyżka miodu
- 50 g sera feta
- 1 łyżka masła klarowanego
- szczypta tymianku
- 100 g młodej fasoli szparagowej
- kilka młodych zielonych szparagów
- 1 por
- 1 cukinia
- 50 ml mleczka kokosowego
- sól morska, pieprz czarny

- 2 szklanki orzechów włoskich (surowych) lub piniowych uprażonych na suchej patelni
- 600 ml bulionu

wykonanie

Gruszki obieramy i karmelizujemy z miodem i masłem klarowanym na patelni, przesmażając je przez 5 minut.

Por szklimy na maśle klarowanym, wlewamy bulion, wrzucamy pokrojoną cukinię, zagotowujemy, a potem gotujemy przez 5 minut. Następnie dorzucamy podzielony na różyczki brokuł oraz fasolkę, ponownie zagotowujemy i gotujemy jeszcze 10 minut. Zupę doprawiamy solą i pieprzem, miksujemy na krem. Na koniec dodajemy młode szparagi oraz mleczko kokosowe i podgrzewamy 2 minuty, żeby szparagi lekko zmiękły.

Na talerz wlewamy zupę z kawałkami szparagów, dodajemy porcję gruszek z patelni, posypujemy świeżym tymiankiem, fetą i orzechami włoskimi albo piniowymi.

PODWIECZOREK:

200 ml jogurtu mieszamy z 1 łyżeczką nasion chia, ½ szklanki borówek i miętą oraz łyżką orzechów nerkowych

KOLACJA: SAŁATKA Z BROKUŁAMI I JAJKIEM – 2 PORCJE

składniki

- 1 mała główka brokułu
- garść rukoli lub pęczek botwinki
- 2 jajka ugotowane na twardo z lekko lejącym żółtkiem
- pęczek rzodkiewek (ok. 7 sztuk)
- ½ małego awokado
- 1 duży pomidor malinowy (lub bawole serce) bez skórki
- sok z 1 limonki
- 1 łyżka orzechów piniowych uprażonych na suchej patelni/surowych pestek słonecznika/surowych orzechów włoskich

sos jogurtowy z czosnkiem
4 łyżki jogurtu greckiego + 1 starty ząbek czosnku + pieprz + sól himalajska + 2 łyżki drobno posiekanego szczypiorku + 1 łyżka oliwy

wykonanie

Brokuł dzielimy na różyczki i gotujemy we wrzątku przez 4 minuty. Studzimy.

W misce mieszamy brokuł z rukolą lub posiekaną botwinką, dodajemy plasterki rzodkiewek, kawałki awokado skropione sokiem z limonki oraz pokrojony w kostkę pomidor i ćwiartki jajek.

Polewamy sosem jogurtowym i posypujemy orzechami lub pestkami.

LISTA ZAKUPÓW – TYDZIEŃ II

PRODUKTY ZBOŻOWE

- 1 szklanka suchej kaszy jaglanej
- 1 szklanka suchej komosy ryżowej

PRODUKTY NABIAŁOWE

- 4 naturalne jogurty probiotyczne po 250 ml
- 100 g jogurtu greckiego
- 3 jajka
- 2 mozzarelle
- 100 g fety

PRODUKTY PŁYNNE

- 500 ml soku z żurawiny bez cukru
- 300 ml mleczka kokosowego lub migdałowego, płynnego (nie gęstego z puszki)
- 400 g gęstego mleczka kokosowego z puszki, min. 82% tłuszczu, bez konserwantów i zagęstników

MIĘSO/ RYBY

- 300 g polędwiczki drobiowej (w wersji wege batatów)
- 200 g łososia dzikiego lub pacyficznego (lub wędzonego tofu w wersji wege)
- 300 g filet z łososia dzikiego (w wersji wege szklanka ugotowanej ciecierzycy)

WARZYWA

- doniczka świeżej bazylii
- botwinka (opcjonalnie)
- pęczek rzodkiewki
- 2 cm korzenia imbiru
- 3 marchewki
- pęczek szczypiorku
- 3 buraki
- słodki pomidor
- 2 ogórki zielone
- 2 pęczki natki pietruszki
- 150 g rukoli
- 450 g pomidorków koktajlowych (kolorowych lub czerwonych)
- 2 brokuły (ok. 800 g)
- 400 g fasolki szparagowej
- pęczek 150 g zielonych szparagów (opcjonalnie)
- sałata rzymska lub mała lodowa
- 25 oliwek czarnych lub zielonych
- główka czosnku
- 150 g jarmużu
- 2 papryki czerwone
- 1 papryka zielona
- 1 papryka żółta
- 3 łodygi selera naciowego
- fenkuł (opcjonalnie)
- por
- 1 opakowanie szpinaku sałatkowego
- 2 cebule czerwone
- 3 małe cukinie (ok. 700 g)

- 1 ogórek kiszony
- dymka ze szczypiorkiem
- świeża mięta

OWOCE
- 200 g malin, borówek, porzeczek – do wyboru
- szklanka agrestu lub 2 kiwi
- 3 limonki
- 1 grejpfrut
- 3 cytryny
- 200 g arbuza
- 3 duże, kwaśne jabłka
- 1 granat
- 3 miękkie awokado
- 1 mango
- 150 g wiśni
- 500 g truskawek
- 2 gruszki

DODATKI
- 600 ml bulionu warzywnego
- 100 g orzechów włoskich
- 20 g nasion chia
- 30 g orzechów piniowych (opcjonalnie)
- 20 g płatków kokosowych (opcjonalnie)
- 30 g wiórków kokosowe
- 30 g pestek z dyni
- kurkuma
- chilli
- ostra papryka suszona
- laska wanilii
- 20 ml miodu płynnego
- zielona herbata w listkach lub kuleczkach gunpowder
- olej sezamowy lub rzepakowy
- orzechy laskowe lub migdały
- cynamon
- kardamon mielony
- 100 g orzechów nerkowca
- kapary
- 3 fileciki anchois
- 40 ml czerwonego octu winnego
- 15 suszonych pomidorów z oliwy
- musztarda Dijon

TYDZIEŃ III

do picia w tym tygodniu polecam:

NAPAR Z MŁODEJ MAJOWEJ POKRZYWY

- ½ kubka liści pokrzywy zalewamy wrzątkiem, pijemy 2 razy dziennie

DNI 15.–16.

ŚNIADANIE: SAŁATKA Z KASZY JAGLANEJ ALBO KOMOSY RYŻOWEJ I WIŚNI – 2 PORCJE

składniki

- 1 szklanka suchej kaszy jaglanej lub komosy ryżowej
- 10 truskawek
- 10 wiśni bez pestek (lub borówek, malin)
- 100 g rukoli
- 2 łyżki orzechów włoskich
- 2 łyżki świeżej mięty
- 1 łyżka płatków migdałowych

dressing

½ brzoskwini zmiksowanej z 2 łyżeczkami oliwy, 1 łyżką soku z limonki i świeżą bazylią

wykonanie

Kaszę lub komosę płuczemy pod bieżącą wodą, odcedzamy i prażymy przez 3 minuty na suchej patelni. Zalewamy 2 szklankami wody. Gotujemy przez 20 minut, mieszając, aż woda wsiąknie w kaszę.

Wiśnie i kaszę wkładamy do miseczki. Dodajemy rukolę z miętą oraz migdały i orzechy. Wszystko delikatnie mieszamy. Sałatkę posypujemy truskawkami i polewamy dressingiem.

DRUGIE ŚNIADANIE: KOKTAJL MIGDAŁOWO-SZPINAKOWY (300 ML)

składniki

- 1 szklanka mleka migdałowego
- 1 szklanka szpinaku
- 4 świeże morele bez pestki

wykonanie

Wszystkie składniki miksujemy na smoothie.

OBIAD: KURCZAK Z ORZECHAMI I FASOLKĄ – 2 PORCJE

składniki

- 300–400 g filetu z indyka lub kurczaka (w wersji wege 1 szklanka ugotowanej ciecierzycy)
- 2 łyżki posiekanych orzechów nerkowca, włoskich, arachidowych lub masła orzechowego z orzechów nerkowca albo arachidowych
- 500 g fasolki szparagowej lub zielonych szparagów
- 100 ml mleczka kokosowego
- natka pietruszki lub świeża kolendra
- 100 ml bulionu warzywnego (lub z kostki eko)
- 4 łyżki nasion granatu
- świeży imbir, pieprz, sól himalajska, curry, miód
- 2 łyżeczki masła klarowanego lub oleju rzepakowego

wykonanie

Zmielone orzechy lub masło orzechowe mieszamy z mleczkiem kokosowym, zieleniną, łyżeczką płynnego miodu i łyżeczką curry.

Filety kroimy w kostkę, przyprawiamy solą i pieprzem i rumienimy na maśle przez 5 minut. Dodajemy sos orzechowy, dolewamy bulion, dorzucamy pokrojone szparagi i dusimy przez 10 minut. Na koniec posypujemy pestkami granatu. Podajemy z sałatką na ostro.

WIOSENNA SAŁATKA NA OSTRO

składniki

- 100 g roszponki
- 1 pomarańcza lub grejpfrut
- 1 łodyga selera naciowego
- 5 rzodkiewek
- 1 świeży ogórek
- 1 marchewka
- 1 opakowanie dowolnych kiełków (np. brokułu)
- pęczek szczypiorku z cebulką
- kilka pomidorków koktajlowych
- 1 papryczka chili
- świeża mięta i bazylia
- sok z 1 limonki
- kawałek startego imbiru, pieprz czarny, sól himalajska
- 2 łyżeczki oleju rzepakowego
- 1 łyżeczka miodu płynnego

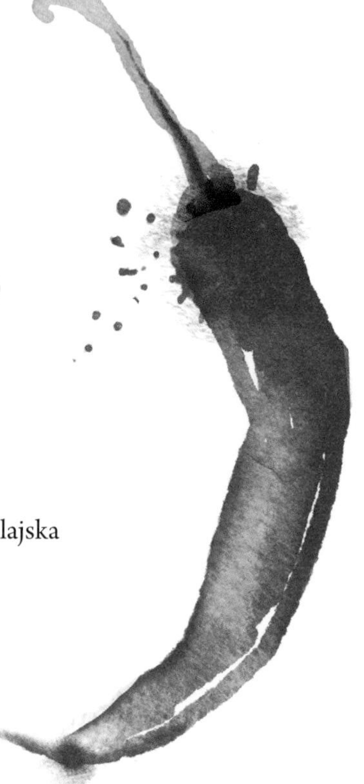

wykonanie

Pomarańczę lub grejpfrut obieramy i wykrawamy z nich fileciki bez białych osłonek. Rzodkiewkę i łodygę selera kroimy w plasterki, ogórek i marchewkę w słupki. Szczypior z cebulką drobno siekamy.

Z oliwy, posiekanego chili, imbiru, posiekanych ziół, soku z limonki oraz miodu robimy sos. Warzywa mieszamy z roszponką oraz pokrojonymi pomidorkami i polewamy sosem. Sałatkę posypujemy kiełkami.

PODWIECZOREK:

200 ml jogurtu naturalnego bio mieszamy z 150 g malin oraz łyżką pokruszonych migdałów

KOLACJA: ZUPA Z SELERA I GRUSZKI – 2 PORCJE

składniki

- 1 bulwa selera
- 1 cukinia
- 1 por
- ½ szklanki mleka migdałowego lub ryżowego
- 1 gruszka
- 250 g zielonych szparagów lub zielonej fasolki szparagowej
- natka pietruszki
- 1 łyżka płatków migdałowych
- 2 łyżki masła klarowanego lub oliwy
- 600 ml bulionu
- gałka muszkatołowa, pieprz czarny, sól morska

wykonanie

Cukinię oraz por kroimy i dusimy przez 5 minut na maśle klarowanym. Następnie dodajemy obrany i pokrojony seler i dusimy kolejne 5 minut. W garnku podgrzewamy bulion, wrzucamy do niego duszone warzywa i gotujemy przez 10 minut do miękkości. Przyprawiamy do smaku i miksujemy na krem, dolewając mleko. Dodajemy szparagi lub fasolkę i pokrojoną gruszkę. Gotujemy jeszcze przez 5 minut. Podajemy posypane migdałami i świeżą natką.

DNI 17.–18.

ŚNIADANIE: JAJKO W KOSZULCE NA SAŁACIE – 2 PORCJE

składniki

- 1 jajko
- 50 g rukoli + 50 g roszponki
- 1 porcja kiełków
- pęczek szczypiorku
- kilka rzodkiewek
- 6 pomidorków koktajlowych
- 1 cytryna lub ocet jabłkowy
- sól morska, pieprz czarny

wykonanie

Sałaty mieszamy z kiełkami, posiekanym szczypiorkiem, rzodkiewkami oraz pokrojonymi pomidorkami. Doprawiamy do smaku.

Jajko wbijamy do miseczki.

Do gorącej wody wciskamy sok z cytryny i mieszamy łyżką, aby powstał delikatny wir. Delikatnie przelewamy jajko do wrzątku i gotujemy przez minutę (w razie potrzeby możemy jajko usmażyć). Następnie wyjmujemy jajko łyżką cedzakową i przekładamy na sałatę.

DRUGIE ŚNIADANIE:

1 szklanka soku z buraka i marchewki z selerem naciowym (300 ml)

OBIAD: MAKARON WARZYWNY Z PULPECIKAMI – 2 PORCJE

składniki

- 1 duża cukinia
- 1 długa marchewka
- 1 ogórek wężowy
- 3 łyżki oliwy
- 2 ząbki czosnku
- dymka ze szczypiorkiem
- 400 g mięsa mielonego z indyka (lub w wersji wege 2 szklanki zmielonej ugotowanej soczewicy brązowej)
- 1 szklanka jarmużu
- 1 por
- 100 ml bulionu
- świeża bazylia
- sól himalajska, pieprz, tymianek, cząber

wykonanie

Cukinię, marchewkę oraz ogórka obieramy i za pomocą obieraczki kroimy na wstążki. Polewamy oliwą, solimy i doprawiamy startym ząbkiem czosnku, pieprzem i cząbrem. Odstawiamy na 10 minut.

Pora siekamy drobno i szklimy przez minutę na łyżce oliwy.Dodajemy pieprz i sól, a następnie pokrojony drobno jarmuż oraz starty czosnek i dusimy przez 5 minut.

Do mielonego mięsa (zmielonej soczewicy) dodajemy duszone warzywa i przyprawiamy całość cząbrem oraz tymiankiem. Dorzucamy 2 łyżki siekanego szczypiorku i formujemy małe kuleczki. Pulpeciki obsmażamy przez minutę na odrobinie oliwy, dolewamy bulion i dusimy przez 8 minut do miękkości.

Makaron warzywny wykładamy na talerz, nakładamy ciepłe pulpeciki i posypujemy wszystko bazylią.

PODWIECZOREK: SOK Z POMIDORÓW (300 ML)

KOLACJA: ZUPA ZE SZPARAGÓW Z KREWETKAMI – 2 PORCJE

składniki

- 150 g zielonych szparagów lub fasolki szparagowej
- 200 g oczyszczonych krewetek tygrysich (lub silken tofu w wersji wege)
- kawałek zielonego pora
- 2 ząbki czosnku
- 1 duża cukinia
- 1 litr wody
- 100 ml mleczka kokosowego
- 1 łyżka masła klarowanego lub oliwy
- 1 łyżka płatków migdałowych
- szczypta tymianku, natka kolendry lub pietruszki, szczypta curry, kurkuma, sól morska, pieprz

wykonanie

Krewetki marynujemy w oliwie z czosnkiem i natką oraz solą. Grillujemy przez 5 minut z każdej strony.

Na oliwie lub maśle przesmażamy czosnek i por. Doprawiamy do smaku. Zalewamy wodą. Dodajemy pokrojone warzywa (oprócz szparagów) i gotujemy przez 20 minut. Następnie miksujemy i przyprawiamy. Na koniec wrzucamy główki szparagów i gotujemy jeszcze 5–10 minut. Posypujemy natką, dolewamy mleczko kokosowe i mieszamy. Zupę jemy z grillowanymi krewetkami, posypaną płatkami migdałowymi.

DZIEŃ 19.

ŚNIADANIE: WRAPSY Z SAŁATY I GUACAMOLE – 1 PORCJA

składniki

guacamole
1 małe awokado + 1 wyciśnięty ząbek czosnku + szczypta soli himalajskiej + sok z ćwiartki limonki + garść świeżej bazylii

- 1 pomidor
- 4 suszone pomidory
- 4 rzodkiewki
- świeży szpinak
- kilka gałązek szczypiorku
- 2 młode marchewki
- cebula szalotka lub czerwona
- 1 długa papryka
- sól himalajska, pieprz
- 4 liście sałaty lodowej lub sałaty rzymskiej

wykonanie

Cztery liście sałaty lodowej wykładamy na blat. Każdy smarujemy porcją guacamole, układamy kolejno plastry rzodkiewki, słupki marchewki i papryki, liście szpinaku, plasterki cebuli i pokrojony w kostkę pomidor oraz kawałki suszonego pomidora i gałązki szczypiorku. Dodajemy pieprz, sól i zawijamy.

DRUGIE ŚNIADANIE: SOK MARCHEWKOWO-SELEROWY (300 ML)

OBIAD: ZAPIEKANKA WARZYWNA – 2 PORCJE

składniki

- 1 nieduża cukinia
- 1 bakłażan mini (osolić, po 10 minutach spłukać i osuszyć, wtedy nie będzie gorzki)
- 3 ząbki czosnku
- 2 duże pomidory
- 2 cebule
- 3 kolorowe papryki
- 2 łyżki orzeszków piniowych
- 3 łyżeczki oliwy
- świeży lub suszony tymianek, liście laurowe, sól morska, pieprz czarny, oregano, świeża bazylia

wykonanie

Naczynie do zapiekania smarujemy oliwą i przekrojonym ząbkiem czosnku. Warzywa kroimy w plasterki, skrapiamy oliwą i mieszamy z pozostałymi, wyciśniętymi ząbkami czosnku. Doprawiamy solą i pieprzem oraz ziołami.

Układamy w foremce plasterki warzyw naprzemiennie i ściśle obok siebie. Skrapiamy resztą oliwy. Pomiędzy warzywa wkładamy listki laurowe. Całość posypujemy orzeszkami pinii. Zapiekamy przez 35 minut w 200 °C.

PODWIECZOREK: KOKTAJL DETOKS Z KURKUMĄ (300 ML)

składniki

- 200 ml wrzącej wody
- ½ łyżeczki kurkumy
- 1 cm imbiru
- 1 szklanka pokrojonego melona
- 1 limonka bez skórki
- szczypta pieprzu lub chili

wykonanie

Imbir ścieramy na tarce i zalewamy wrzątkiem. Po ostudzeniu miksujemy z kurkumą, melonem, limonką i szczyptą chili lub pieprzu.

KOLACJA: PORCJA ZAPIEKANKI WARZYWNEJ

DNI 20.–21.

ŚNIADANIE: WIOSENNA JAJECZNICA Z NATKĄ – 2 PORCJE:

składniki

- 1 mała cukinia
- ½ pęczka natki pietruszki
- szczypiorek
- 1 cebula szalotka
- 1 ząbek czosnku
- 2 jajka od kur z wolnego wybiegu
- 1 łyżka masła klarowanego
- 2 łyżki pestek słonecznika lub dyni
- sól himalajska, pieprz, kurkuma

wykonanie

Na maśle szklimy szalotkę. Dodajemy pokrojoną w plasterki cukinię i posiekany czosnek, solimy i dusimy przez 2 minuty. Na koniec wbijamy jajka, posypujemy natką, szczypiorkiem, pieprzem i szczyptą kurkumy i przykrywamy patelnię. Smażymy na wolnym ogniu, aż jajka się zetną. Posypujemy pestkami słonecznika lub dyni.

Podajemy ze świeżymi pomidorami, rzodkiewkami i sałatą.

DRUGIE ŚNIADANIE: SOK Z BURAKA LUB MARCHEWKI (300 ML)

OBIAD: KASZA GRYCZANA NA CZERWONO ZE SZPARAGAMI – 2 PORCJE

składniki

- 1 szklanka kaszy gryczanej palonej
- 2 szklanki soku pomidorowego
- 1 por
- 1 ząbek czosnku
- pęczek zielonych szparagów lub 200 g fasolki szparagowej
- kilka gałązek natki pietruszki
- szczypiorek
- 1 łyżka oliwy, oleju rzepakowego lub kokosowego
- 2 łyżki orzechów włoskich
- sól himalajska, pieprz, szczypta tymianku, oregano

wykonanie

Kaszę płuczemy i zalewamy 2 szklankami soku pomidorowego. Dolewamy 50 ml wody, posypujemy szczyptą soli, tymianku, oregano oraz pieprzu i gotujemy przez 15 minut na małym ogniu. Garnek z kaszą odstawiamy, by kasza wchłonęła cały pozostały płyn.

W tym czasie na oliwie dusimy pokrojony w talarki por, dodajemy pokrojone szparagi oraz czosnek i dusimy przez 5 minut. Przyprawiamy solą i pieprzem.

Kaszę mieszamy z warzywami, posiekaną natką i szczypiorkiem oraz orzechami.

PODWIECZOREK: KOKTAJL Z CZARNEJ PORZECZKI I MALIN (300 ML)

składniki

- 100 ml mleka ryżowego, kokosowego lub migdałowego
- 1 kubek czarnych porzeczek bez szypułek
- 1 kubek malin

Wszystkie składniki miksujemy.

KOLACJA: MAKARON WARZYWNY Z SOSEM Z AWOKADO – 2 PORCJE

składniki

- 1 duża marchewka
- 1 cienka i długa cukinia
- 1 kawałek pora
- 1 ząbek czosnku
- 1 miękkie awokado (np. Hass)
- 10 pomidorków koktajlowych
- 5 pomidorów suszonych w oliwie
- garść rukoli
- 3 łyżki sera feta miękkiego
- kubek świeżej bazylii
- sok z ćwiartki i skórka otarta z całej limonki
- 2 łyżki orzechów laskowych, włoskich lub migdałów
- 2 łyżki oliwy lub oleju kokosowego
- sól himalajska, pieprz

wykonanie

Marchew i cukinię dokładnie myjemy, marchewkę obieramy. Warzywa kroimy za pomocą obieraczki na cienkie wstążki, por zaś w talarki. Warzywa polewamy oliwą, posypujemy startym na małych oczkach czosnkiem i doprawiamy solą.

Awokado miksujemy z fetą i sokiem z ćwiartki limonki oraz bazylią. Przyprawiamy pieprzem.

Na patelnię wrzucamy pokrojone warzywa, dusimy przez 5 minut, a następnie wykładamy je na talerz. Mieszamy z sosem z awokado, pokrojonymi pomidorkami (świeżymi i suszonymi) oraz rukolą. Posypujemy orzechami i skórką otartą z limonki.

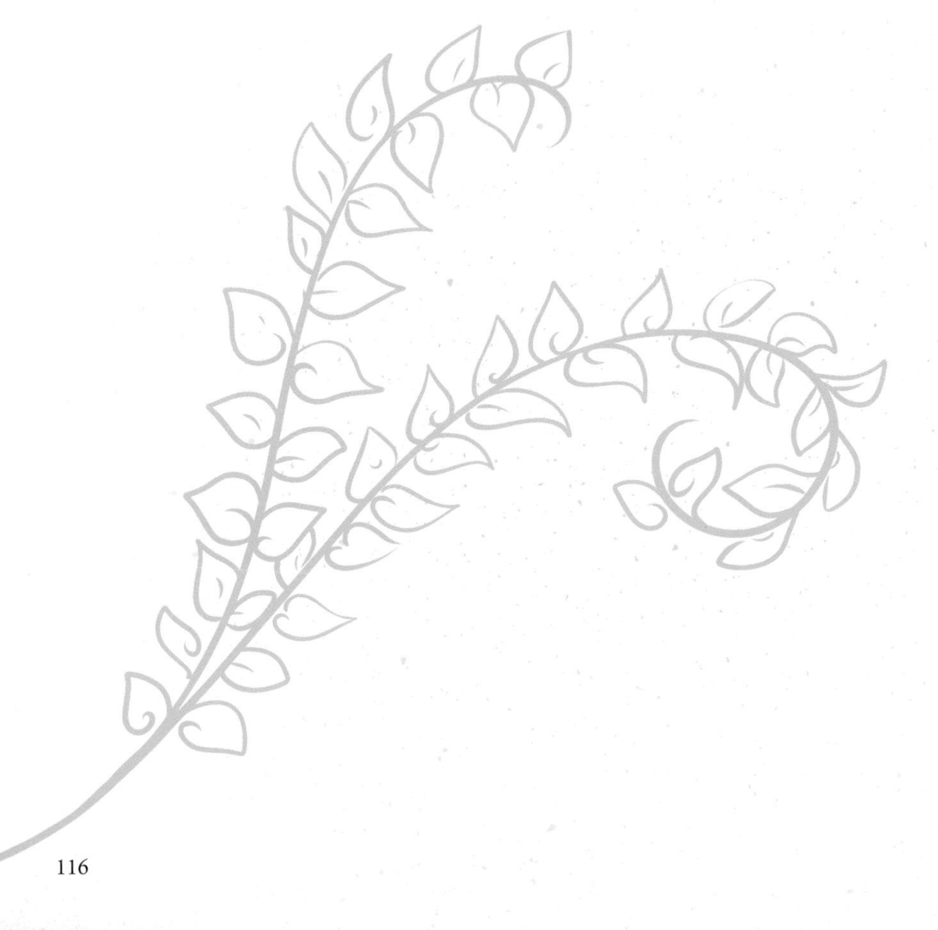

LISTA ZAKUPÓW – TYDZIEŃ III

PRODUKTY ZBOŻOWE

- 1 szklanka suchej kaszy jaglanej lub komosy ryżowej
- 1 szklanka suchej niepalonej kaszy gryczanej

PRODUKTY NABIAŁOWE

- 500 ml naturalnego jogurtu probiotycznego
- 3 jajka
- 30 g fety

PRODUKTY PŁYNNE

- 500 ml mleka migdałowego
- 400 ml gęstego mleczka kokosowego, 82% tłuszczu
- 600 ml soku z buraka i marchewki z selerem
- 1 litr soku z pomidorów
- 600 ml soku marchewkowo-selerowego
- 600 ml soku z buraczka lub marchewki

MIĘSO/ RYBY

- 300–400 g filetu z indyka lub kurczaka (w wersji wege szklanka ugotowanej ciecierzycy)
- 400 g mięsa mielonego z indyka (w wersji wege 2 szklanki ugotowanej soczewicy brązowej)
- 200 g oczyszczonych krewetek tygrysich (w wersji wege silken tofu)

WARZYWA

- 1 paczka rukoli (ok. 150 g)
- doniczka mięty
- główka czosnku
- 3 duże, słodkie, dojrzałe pomidory
- 2 cebule
- 3 papryki kolorowe
- 2 szklanki szpinaku
- 800 g fasolki szparagowej
- 250 g zielonych szparagów
- pęczek świeżej natki lub kolendry
- 5 cm korzenia imbiru
- 4 łodygi selera naciowego
- 100 g roszponki
- 10 rzodkiewek
- 2 ogórki długie
- 9 marchewek
- 50 g ulubionych kiełków
- 3 dymki ze szczypiorkiem
- 30 pomidorków koktajlowych lub 6 dużych, dojrzałych pomidorów
- papryczka chili
- pęczek szczypiorku
- cebula szalotka lub czerwona
- długa czerwona papryka

- 1 seler (bulwa)
- 4 cukinie (ok. 1 kg)
- bakłażan mini
- 2 pory
- 50 g jarmużu
- główka czosnku
- sałata lodowa lub rzymska – 4 duże liście
- pęczek natki pietruszki
- 40 g masła orzechowego
- 10 suszonych pomidorów z oliwy
- 30 g orzeszków piniowych
- kurkuma
- 50 g nasion dyni lub słonecznika
- 2 łyżki posiekanych orzechów nerkowca, włoskich lub arachidowych

OWOCE

- 1 miękkie awokado
- 100 g truskawek
- 1 kubek czarnych porzeczek
- 400 g malin
- 1 cytryna
- 100 g wiśni bez pestek (lub borówek, malin)
- 1 brzoskwinia
- 3 limonki
- 4 świeże morele
- 1 granat
- 1 gruszka
- 1 pomarańcza lub grejpfrut
- 200 g melona

DODATKI

- 1 litr bulionu warzywnego
- 50 g migdałów
- 30 g orzechów włoskich
- świeża lub suszona pokrzywa do parzenia
- 20 g płatków migdałowych lub migdałów

do picia w tym tygodniu polecam:

NAPAR Z NATKI PIETRUSZKI

- ½ kubka liści natki pietruszki zalewamy wrzątkiem, pijemy po ostudzeniu 2 razy dziennie, minimum 600 ml

DNI 22.–23.

ŚNIADANIE: WIOSENNA OWSIANKA GRYCZANA – 2 PORCJE

składniki

- 1 szklanka płatków gryczanych
- 2 szklanki mleka kokosowego (400 ml)
- 1 kubek malin lub wiśni bez pestek
- 1 kubek borówek
- 1 kubek truskawek
- 1 łyżka nasion chia lub siemienia lnianego
- do dekoracji porzeczki, mięta

wykonanie

Płatki i nasiona chia (siemię) wsypujemy do garnuszka, zalewamy mlekiem i gotujemy przez 5 minut. Odstawiamy garnek i czekamy aż płatki i nasiona chia (siemię) wchłoną cały płyn. Na dno naczynia nakładamy porcję owsianki, na nią porcję owoców, ponownie owsiankę, a na wierzch owoce i miętę.

DRUGIE ŚNIADANIE: KOKTAJL Z MLEKA KOKOSOWEGO I TRUSKAWEK

składniki

- 200 ml mleka kokosowego (migdałowego) płynnego
- 200 g truskawek
- świeża mięta

wykonanie

Wszystkie składniki miksujemy.

OBIAD: KASZA GRYCZANA Z KALAFIOREM – 2 PORCJE

składniki

- 1 szklanka kaszy gryczanej palonej lub niepalonej
- 1 mała główka kalafiora
- 1 mała papryka
- 1 por
- 1 szklanka szpinaku
- świeży szczypiorek
- pęczek natki pietruszki
- 2 łyżki oliwy lub oleju kokosowego
- 2 łyżki pestek z dyni
- sól himalajska, pieprz

wykonanie

Kaszę dokładnie płuczemy, zalewamy 2,5 szklanki wody, solimy i gotujemy przez 10 minut. Następnie dorzucamy kalafior i gotujemy jeszcze przez 10 minut na małym ogniu. Odsączamy.

Na oliwie szklimy przez 2 minuty pokrojony por i szpinak. Przyprawiamy solą i pieprzem.

Do miseczki przekładamy kalafior i kaszę, dodajemy por oraz szpinak i delikatnie mieszamy. Następnie dorzucamy posiekany szczypiorek, natkę oraz pokrojoną paprykę i posypujemy pestkami dyni.

PODWIECZOREK: MIGDAŁOWY KOKTAJL Z WIŚNIAMI I MIĘTĄ (300 ML)

składniki

- 1 szklanka mleka ryżowego
- 1 szklanka wiśni bez pestek
- garść świeżej mięty
- 1 łyżeczka płatków migdałowych lub wiórków kokosowych

wykonanie

Napój ryżowy miksujemy z wiśniami oraz miętą i posypujemy płatkami migdałowymi lub kokosowymi.

KOLACJA: ZUPA KREM Z PIECZONYCH BATATÓW, POMIDORÓW I CZERWONEJ CEBULI – 2 PORCJE

składniki

- 10 pomidorów lub 600 ml passaty pomidorowej
- 2 czerwone cebule
- 1 batat

- 2 łyżki oleju
- 4 ząbki czosnku
- świeża bazylia
- 50 ml mleczka kokosowego
- sól morska, pieprz cayenne, przyprawa do bulionu bez glutaminianu sodu
- 5 suszonych pomidorów
- 2 łyżki orzechów piniowych uprażonych na suchej patelni lub surowych włoskich

wykonanie

Pomidory przekrawamy na połówki, batat kroimy w kostkę, solimy, polewamy oliwą z rozdrobnionym czosnkiem i posypujemy pieprzem cayenne. Na blasze do pieczenia układamy obok siebie czerwoną cebulę, pomidory oraz pokrojony batat. Warzywa pieczemy przez 25 minut w 180°C.

Pomidory suszone drobno siekamy i miksujemy z orzechami, ząbkiem czosnku i łyżeczką oliwy z zalewy pomidorów.

Warzywa z blachy przekładamy do garnka i zalewamy szklanką wody. Dodajemy przyprawę do bulionu, świeżą bazylię i gotujemy 4 minuty. Dolewamy mleczko kokosowe i miksujemy wszystko na gładki krem. Podajemy z pastą z suszonych pomidorów.

DNI 24.–25.

ŚNIADANIE: SZPARAGI Z JAJKIEM – 1 PORCJA

składniki

- 10 szparagów zielonych
- 1 jajko
- 1 łyżka oliwy
- pęczek szczypiorku
- sól morska, pieprz czarny

wykonanie

Odkrawamy twarde końcówki szparagów. Na patelni rozgrzewamy olej i smażymy szparagi przez 3–4 minuty. Na koniec wbijamy jajko, posypujemy szczypiorkiem, doprawiamy i zapiekamy jeszcze przez 2 minuty. Podajemy na ciepło.

DRUGIE ŚNIADANIE:

1 szklanka soku buraczkowego, marchewkowego lub pomidorowego (300 ml)

OBIAD: POLĘDWICZKI W SOSIE PIECZARKOWYM Z ZIELONĄ PIETRUSZKĄ – 2 PORCJE

składniki

- 300 g polędwiczek z kurczaka lub indyka (lub w wersji wege 300 g naturalnego tofu)
- 200 g pieczarek
- 1 por
- 200 ml gęstego mleczka kokosowego
- pęczek natki pietruszki
- dymka ze szczypiorkiem
- 1 łyżka oleju rzepakowego lub kokosowego
- sól himalajska, pieprz

wykonanie

Filety (tofu) kroimy na cienkie paski, przyprawiamy solą i pieprzem.

Na patelni rozgrzewamy olej, dodajemy mięso (tofu), pokrojony w talarki por i dusimy przez 5 minut. Następnie dorzucamy posiekaną dymkę bez szczypiorku oraz pokrojone pieczarki i dusimy pod przykryciem przez 10 minut. Dolewamy mleczko i dusimy kolejne 5 minut. Na koniec dodajemy szczypiorek i natkę.

Podajemy z sałatką z imbirem.

SAŁATKA Z IMBIREM – 2 PORCJE

składniki

- 1 długi ogórek
- świeży kawałek imbiru
- 1 marchewka
- 6 rzodkiewek
- 100 g roszponki
- 1 cebula dymka
- 1 ząbek czosnku
- pieprz czarny, sos sojowy, miód płynny, oliwa, sezam czarny lub biały

wykonanie

Ogórka i marchewkę myjemy, obieramy i kroimy za pomocą obieraczki na długie wstążki. Rzodkiewki kroimy w plasterki. Na tarce ścieramy kawałek imbiru, aby otrzymać pół łyżeczki. Czosnek wyciskamy. Dymkę siekamy razem ze szczypiorkiem. Dodajemy roszponkę i mieszamy warzywa.

Do kubka wlewamy 2 łyżki sosu sojowego, 2 łyżeczki miodu płynnego, imbir, czosnek, pieprz i 2 łyżki oliwy, i mieszamy. Sosem polewamy warzywa. Sałatkę posypujemy sezamem.

PODWIECZOREK: KOKTAJL POKRZYWOWY (300 ML)

składniki

- 1 szklanka listków majowej pokrzywy (lub szpinaku)
- 2 jabłka lub 100 ml soku tłoczonego z jabłek
- 1 cytryna
- 150 ml wody mineralnej

wykonanie

Wszystkie składniki miksujemy na smoothie lub wyciskamy w wyciskarce.

KOLACJA: ZUPA KALAFIOROWA Z RUKOLĄ – 2 PORCJE

składniki

- 1 kalafior lub brokuł
- 1 por
- 1 cukinia
- 1 marchewka
- 2 ząbki czosnku
- 100 g rukoli
- 200 ml mleczka kokosowego
- 2 łyżeczki oleju rzepakowego lub masła klarowanego
- 2 łyżki płatków migdałowych
- świeży tymianek, pieprz czarny, sól morska

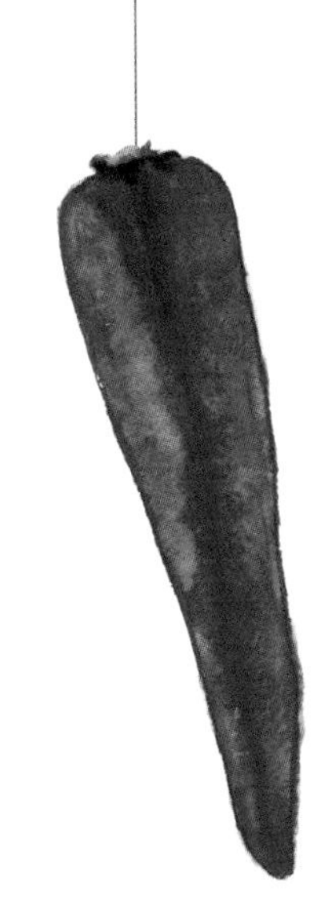

wykonanie

Por kroimy w talarki i przesmażamy przez 1–2 minuty w garnku na oliwie. Solimy, dodajemy pokrojoną cukinię, czosnek i marchewkę w kosteczkach i ponownie chwilę smażymy. Dodajemy kalafior (kilka różyczek zostawiamy do ozdoby) lub brokuł. Zalewamy litrem wody z przyprawami i gotujemy 20 minut.

W tym czasie pozostały kalafior smażymy na łyżeczce oliwy, aż się zarumieni.

Do zupy dolewamy mleko i zagotowujemy. Zdejmujemy zupę z palnika, dodajemy rukolę i miksujemy. Na koniec doprawiamy pieprzem i solą. Podajemy z kawałkami podpieczonego kalafiora i migdałami.

DZIEŃ 26.

ŚNIADANIE: GRILLOWANE PIECZARKI Z ZIELONYM MUSEM – 1 PORCJA

składniki

- 4 duże pieczarki grillowe lub 8 małych
- 1 małe awokado
- 4 małe pomidorki koktajlowe
- garść liści majowej pokrzywy sparzonej wrzątkiem (lub rukoli)
- garść liści bazylii
- sok z 1 limonki
- 1 ząbek czosnku
- 2 łyżki oliwy
- sól himalajska, pieprz czarny

wykonanie

Pieczarki smarujemy oliwą i prószamy solą oraz pieprzem. Układamy na patelni grillowej i pieczemy pod przykryciem na małym ogniu przez 6 minut, aby zmiękły.

W tym czasie przygotowujemy mus: miąższ awokado miksujemy z liśćmi pokrzywy i bazylii, czosnkiem, sokiem z limonki oraz szczyptą soli i pieprzu.

Do każdej pieczarki wkładamy farsz, a na nim plasterek pomidora. Polewamy oliwą.

DRUGIE ŚNIADANIE: SOK ANANASOWY Z GRANATEM (300 ML)

składniki

- 1 kawałek ananasa (150 g)
- 3 łyżki nasion granatu
- 1 grejpfrut
- garść natki pietruszki

wykonanie

Wszystkie składniki wyciskamy w wyciskarce.

OBIAD: KOTLECIKI Z BATATU – 1 PORCJA (5 SZT.)

składniki

- 1 duży batat ugotowany (300 g)
- 1 cebula dymka posiekana
- kilka gałązek natki pietruszki
- 200 g fasoli czerwonej z puszki
- mąka kokosowa (na oko) do zagęszczenia masy

- świeża mięta
- sezam
- 1 łyżka przyprawy wzmacniającej smak bez glutaminianu sodu

wykonanie

Bataty rozgniatamy z fasolą, mieszamy z posiekaną dymką, miętą, natką pietruszki oraz łyżką przyprawy wzmacniającej smak. Dodajemy mąkę kokosową, by zagęścić masę.

Formujemy małe kotleciki i obtaczamy je w sezamie. Smażymy na rumiano przez 5 minut.

Podajemy z surówką z ogórka.

SURÓWKA Z OGÓRKA

składniki

- 1 ogórek
- 1 szklanka szpinaku lub rukoli
- 4 rzodkiewki
- 4 łyżki posiekanej natki
- łyżeczka sosu sojowego bez glutaminianu sodu
- 1 łyżeczka octu jabłkowego
- 1 łyżeczka sezamu

wykonanie

Ogórek kroimy obieraczką w paski. Polewamy łyżeczką sosu sojowego i octem jabłkowym. Wsypujemy posiekaną natkę oraz drobno posiekane rzodkiewki i mieszamy. Czekamy, aż wydzieli się sok, i odlewamy nadmiar płynu. Dodajemy szpinak lub rukolę. Na koniec posypujemy surówkę sezamem.

PODWIECZOREK: KOKTAJL DETOKS Z BURAKIEM (300 ML)

składniki

- 200 ml soku ze świeżego buraka (kupionego lub wyciśniętego samemu)
- 1 limonka obrana ze skórki
- 1 kubek borówek
- garść szpinaku
- garść świeżej mięty

wykonanie

Sok z buraka miksujemy z pozostałymi składnikami lub mieszamy z sokiem wyciśniętym w wyciskarce z reszty produktów.

KOLACJA: ZUPA Z WĘDZONEJ PAPRYKI Z CZARNUSZKĄ – 1 PORCJA

składniki

- 2 czerwone papryki
- 1 cebula czerwona
- 4 świeże, dojrzałe pomidory bez skórki (lub puszka krojonych)
- 2 łyżki pesto bazyliowego
- 50 ml mleczka kokosowego
- łyżeczka czarnuszki
- wędzona papryka, sól morska, pieprz, przyprawa do bulionu bez glutaminianu sodu
- 2 łyżki oliwy

wykonanie

Papryki i cebulę kroimy, przyprawiamy solą oraz pieprzem i podsmażamy na łyżce oliwy. Przekładamy do garnka, zalewamy 200 ml wody, dodajemy przyprawę do bulionu, pokrojone pomidory i mleczko kokosowe. Gotujemy przez 20 minut i miksujemy na krem. Na koniec doprawiamy do smaku wędzoną papryką.

Zupę podajemy przyprawioną łyżeczką pesto bazyliowego i posypaną czarnuszką.

DNI 27.–28.

ŚNIADANIE: SAŁATKA MALINOWA (PORZECZKOWA) Z KOMOSĄ RYŻOWĄ Z MIĘTĄ – 2 PORCJE

składniki

- 1 szklanka czerwonej i białej komosy ryżowej
- 1 kubek świeżych lub mrożonych malin lub porzeczek
- 1 por
- świeża mięta i bazylia
- 6 czarnych oliwek
- 2 łyżki orzechów nerkowca
- pomidorki koktajlowe
- 100 g świeżego szpinaku
- pęczek rukoli
- 1 łyżka oliwy

wykonanie

Komosę płuczemy i gotujemy w 1,5 szklanki wody z odrobiną soli. Por kroimy w plasterki, delikatnie solimy i podduszamy przez około minutę na patelni.

Komosę mieszamy z porem, pokrojonymi pomidorkami, oliwkami i ziołami. Dodajemy szpinak z rukolą oraz orzechy i delikatnie mieszamy. Na wierzchu układamy maliny lub porzeczki.

DRUGIE ŚNIADANIE: ZIELONY KOKTAJL – 1 PORCJA

składniki

- 1 szklanka szpinaku
- 1 kiwi bez skórki
- 1 ogórek mały bez skórki
- 1 łodyga selera
- 1 szklanka pokrojonego świeżego ananasa bez skórki
- 1 kwaśne jabłko

Miksujemy składniki ze 100 ml wody mineralnej.

OBIAD: ŁOSOŚ W SOSIE SŁODKO-KWAŚNYM NA GRILLOWANYCH SZPARAGACH – 2 PORCJE

składniki

- 2 filety z łososia – po ok. 150 g każdy (lub w wersji wege 300 g ugotowanej ciecierzycy)
- 1 pęczek zielonych szparagów lub zielonej fasolki szparagowej ugotowanej *al dente* (400 g)

- gałązka pomidorków koktajlowych
- 1 łyżka sezamu
- 1 szklanka komosy ryżowej albo kaszy jaglanej lub gryczanej

marynata

6 łyżek gęstego, dobrej jakości ketchupu, szczypta chili, 1 łyżka miodu płynnego, sok z połowy limonki, 1 łyżka sosu balsamicznego, pieprz czarny – dokładnie mieszamy i lekko podgrzewamy w garnuszku

wykonanie

Kaszę gotujemy. Łososia smarujemy marynatą (w wersji wege ciecierzycę mieszamy z marynatą), zostawiając część sosu.

Układamy łososia (ciecierzycę) na blasze wyłożonej papierem i pieczemy w 180°C przez 10 minut.

Podajemy na ciepło, polane resztą sosu, z pokrojonymi pomidorkami i porcją kaszy wymieszaną z ugotowanymi szparagami lub fasolką i posypane sezamem.

PODWIECZOREK: KOKTAJL MIGDAŁOWO-BORÓWKOWY – 1 PORCJA

składniki

- 200 ml mleka roślinnego (migdałowego, kokosowego, ryżowego)
- 200 g borówek
- świeża mięta

wykonanie

Miksujemy składniki na smoothie.

Kolacja: zupa z mango z imbirem – 2 porcje

składniki

- 2 mango
- 2 pomarańcze
- sok z 1 limonki
- pęczek świeżej kolendry
- szczypta pieprzu cayenne
- 1 szklanka gęstego mleczka kokosowego (200 ml)
- 1 łyżeczka startego imbiru
- 1 kawałek pora
- 1 ząbek czosnku
- 2 łyżeczki oleju
- 300 ml bulionu warzywnego
- 2 łyżki płatków migdałowych lub orzechów nerkowca

wykonanie

Rozgrzewamy w garnuszku olej, wrzucamy posiekany por i czosnek i podsmażamy przez minutę. Następnie dodajemy pieprz cayenne, imbir i mango. Chwilę dusimy, dodajemy sok z 2 pomarańczy, szklankę bulionu warzywnego (wegetariańskiego) i dusimy przez 10 minut do miękkości. Dolewamy mleko kokosowe i sok z limonki. Miksujemy. Posypujemy świeżą kolendrą i płatkami migdałów lub orzechami.

LISTA ZAKUPÓW – TYDZIEŃ IV

PRODUKTY ZBOŻOWE

- 1 szklanka płatków gryczanych
- 1 szklanka kaszy gryczanej (palonej lub niepalonej)
- 1 szklanka suchej komosy ryżowej kolorowej lub białej
- 1 szklanka suchej komosy ryżowej zwykłej lub kaszy jaglanej albo gryczanej

PRODUKTY NABIAŁOWE

- 1 jajko

PRODUKTY PŁYNNE

- 600 ml płynnego mleka kokosowego
- 800 ml gęstego mleczka kokosowego
- 1 litr mleka ryżowego
- 600 ml soku buraczkowego, marchewkowego lub pomidorowego

MIĘSO/ RYBY

- 300 g polędwiczek z drobiu (w wersji wege 300 g naturalnego tofu)
- 300 g łososia dzikiego lub innej ryby (w wersji wege 300 g ugotowanej ciecierzycy)

WARZYWA

- 4 duże pieczarki grillowe lub 8 zwykłych
- główka kalafiora (500 g)
- 3 papryki czerwone
- 4 pęczki natki pietruszki
- świeża mięta
- 2 duże pory
- paczka szpinaku sałatkowego (ok. 150 g)
- pęczek szczypiorku
- 400 g szparagów zielonych lub fasolki szparagowej
- 200 g szparagów zielonych
- 10 dojrzałych pomidorów lub 600 ml passaty pomidorowej
- 4 dojrzałe pomidory
- 3 cebule czerwone
- 500 g batatów
- główka czosnku
- cukinia
- 200 g pieczarek
- 3 dymki ze szczypiorkiem
- 2 ogórki
- 3 marchewki
- 15 rzodkiewek
- paczka rukoli
- 100 g szpinaku
- 100 g roszponki
- 4 cm korzenia imbiru
- 2 szklanki świeżej pokrzywy (lub szpinaku)
- 25 pomidorków koktajlowych
- świeża bazylia
- 200 g fasoli czerwonej puszki lub ugotowanej
- 2 buraki lub 200 ml soku buraczkowego

- 6 oliwek czarnych
- 2 łodygi selera naciowego
- 1 kalafior lub brokuł

OWOCE

- 200 g malin lub wiśni
- 200 g malin
- 100 g wiśni
- 800 g borówek
- 400 g truskawek
- 3 limonki
- 3 kwaśne jabłka lub 300 ml soku tłoczonego z jabłek
- 1 cytryna
- miękkie awokado
- 400 g świeżego ananasa
- 1 granat
- 1 grejpfrut
- 2 kiwi
- 2 mango
- 2 pomarańcze

DODATKI

- 1 litr bulionu warzywnego
- 30 g mąki kokosowej
- 20 g nasion chia lub siemienia lnianego
- 30 g pestek z dyni
- 30 g płatków kokosowych lub migdałowych
- 5 pomidorów suszonych w oliwie
- 30 g orzechów piniowych lub włoskich
- 30 ml sosu sojowego bez glutaminianu sodu
- 40 g sezamu czarnego lub białego
- 20 g czarnuszki
- wędzona papryka suszona
- 30 g pesto bazyliowego
- 30 g orzechów nerkowca
- 100 ml dobrej jakości ketchupu

TYDZIEŃ V

do picia w tym tygodniu polecam:

NAPAR Z CZYSTKA LUB ZIELONEJ HERBATY

- 2 łyżeczki suszu dziennie zalewamy 500 ml wrzątku i studzimy

DNI 29.–30.

ŚNIADANIE: KOMOSA Z KURKAMI I AWOKADO – 2 PORCJE

składniki

- 1 szklanka suchej komosy ryżowej lub kaszy gryczanej
- 1 szklanka świeżych kurek lub pieczarek
- 1 małe awokado
- 2 szklanki szpinaku
- 1 mała szalotka
- szczypiorek
- 2 ząbki czosnku
- sok z 1 limonki
- 2 łyżki masła klarowanego lub oleju kokosowego
- 2 łyżki orzechów piniowych (uprażonych) lub włoskich, pekan (surowych)
- sól himalajska, pieprz

wykonanie

Kaszę płuczemy, gotujemy przez 15 minut w lekko osolonej wodzie i odsączamy.

Na oliwie szklimy przez minutę posiekaną szalotkę, dodajemy pokrojone kurki i dusimy przez 8 minut. Następnie dodajemy szpinak, pokrojony czosnek i dusimy jeszcze przez 2 minuty. Posypujemy solą i pieprzem.

Kaszę łączymy z posiekanym szczypiorkiem, warzywami z patelni oraz pokrojonym w kostkę awokado i skrapiamy sokiem z limonki. Delikatnie mieszamy całość i posypujemy orzechami.

DRUGIE ŚNIADANIE: SAŁATKA ZE SZPINAKIEM I MOZZARELLĄ Z SOSEM TRUSKAWKOWYM – 2 PORCJE

składniki

- opakowanie szpinaku sałatkowego
- 8 truskawek
- 1 gruszka
- 1 kulka mozzarelli
- 2 łyżki orzechów włoskich lub płatków kokosowych
- kilka listków świeżej mięty
- sok z 1 limonki

sos truskawkowy
5 truskawek + 1 łyżka sosu balsamicznego + 1 łyżeczka miodu + 1 łyżeczka oliwy + 1 łyżeczka soku z limonki + czarny pieprz + 1 łyżka posiekanej mięty – wszystkie składniki miksujemy

wykonanie

Szpinak myjemy, osuszamy i mieszamy z pokrojoną mozzarellą i gruszką. Skrapiamy sokiem z limonki. Sałatkę polewamy sosem truskawkowym i dekorujemy truskawkami, orzechami oraz miętą.

OBIAD: ŁOSOŚ W ZIOŁACH Z JABŁKAMI I FENKUŁEM – 2 PORCJE

składniki

- 2 filety (400 g) z łososia, dorsza lub innej ulubionej ryby (w wersji wege 300 g wędzonego tofu)
- 2 jabłka zielone

- 1 fenkuł
- 1 por
- 1 łyżka miodu płynnego
- szczypta rozmarynu
- sok z 1 limonki
- 2 łyżeczki masła klarowanego lub oliwy
- sól morska, pieprz czarny

marynata do ryby
2 łyżki oleju rzepakowego + sok z 1 limonki + szczypty suszonej bazylii + chili + oregano + tymianku + rozmarynu + czosnku granulowanego + papryki ostrej + cząbru – wszystkie składniki mieszamy

wykonanie

Łososia marynujemy przez noc. W garnuszku rozgrzewamy masło, dodajemy por pokrojony w plasterki i szklimy przez 2 minuty. Dodajemy sól, pieprz, miód, rozmaryn, odrobinę soku z limonki, pokrojone w grubsze plastry jabłka oraz fenkuł. Dusimy przez 8 minut.

W tym czasie na kawałku papieru do pieczenia układamy filety z łososia, zawijamy papier w kopertę i pieczemy rybę na patelni grillowej przez 4 minuty z każdej strony.

Łososia podajemy z duszonymi jabłkami z fenkułem i sezamową surówką z ogórkiem.

SEZAMOWA SURÓWKA Z OGÓRKIEM – 2 PORCJE

składniki

- 1 ogórek (ok. 100 g)
- 1 mała młoda cukinia
- 1 młoda marchewka
- 2 łyżeczki ciemnego sezamu
- 1 łyżka oleju sezamowego
- 1 łyżka octu jabłkowego niefiltrowanego

- 4 łyżki posiekanego szczypiorku
- 2 łyżki kiełków lub rzeżuchy
- świeża mięta

wykonanie

Ogórki i cukinie kroimy w cienkie plasterki, marchewkę we wstążki. Mieszamy ze szczypiorkiem, kiełkami, polewamy olejem i skrapiamy octem. Na koniec posypujemy sezamem.

Podajemy z upieczonym łososiem, posypane miętą.

PODWIECZOREK: ZIELONE SMOOTHIE (300 ML)

składniki

- 1 szklanka pokrojonego ananasa bez skórki
- 1 szklanka jarmużu
- 1 duże jabłko lub tłoczony sok jabłkowy
- 1 limonka bez skórki

wykonanie

Wszystkie składniki wyciskamy w wyciskarce lub miksujemy z tłoczonym sokiem jabłkowym.

KOLACJA: TAGLIATELLE ZE SZPARAGÓW Z BAZYLIĄ – 2 PORCJE

składniki

- pęczek zielonych szparagów
- 1–2 ząbki czosnku

- 1 mała cebulka szalotka
- 10 koktajlowych pomidorków
- 100 ml gęstego mleczka kokosowego
- 2 łyżki orzeszków piniowych (uprażonych na suchej patelni) lub włoskich (surowych)
- 1 łyżka oliwy extra virgin
- garść bazylii
- garść rukoli
- szczypta soli himalajskiej, pieprz

wykonanie

Od szparagów odkrawamy twarde końcówki (około dwucentymetrowe). Następnie obieraczką kroimy szparagi na wstążki.

Na oliwie szklimy przez minutę cebulkę z pokrojonym czosnkiem. Następnie dodajemy sól, pieprz oraz mleczko kokosowe i dusimy kolejne 2 minuty. Dodajemy pokrojone we wstążki szparagi i dusimy na małym ogniu przez kolejne 5 minut.

Podajemy z pokrojonymi pomidorkami, posypane orzeszkami, świeżą bazylią i rukolą.

DNI 31.–32.

ŚNIADANIE: PAPRYKI Z FARSZEM MIĘSNO-POMIDOROWYM – 2 PORCJE

składniki

- 100 g mielonego mięsa drobiowego (lub w wersji wege ugotowanej soczewicy)
- 4 papryki kolorowe
- 2 duże pomidory bez skórki

- 1 czerwona cebula
- kawałek pora
- 1 cebula
- 15 pieczarek
- świeża bazylia
- 2 łyżki oliwy
- sól morska, pieprz czarny, papryka słodka
- miks sałat lub sałata lodowa

sos musztardowy z kaparami:
1 łyżka musztardy gruboziarnistej + 2 łyżki oliwy + 2 łyżki posiekanej natki + 1 łyżka siekanych kaparów + szczypta pieprzu czarnego + 1 łyżeczka miodu + 1 łyżka soku z limonki – dokładnie mieszamy, polewamy sałatę, podajemy z paprykami

wykonanie

Na oliwie szklimy pokrojony por i cebulę, dodajemy pieczarki, solimy, oprószamy pieprzem i dusimy przez 5 minut. Następnie dodajemy pomidory, mięso oraz suszoną paprykę i dusimy jeszcze 15 minut. Dodajemy świeżą bazylię i mieszamy wszystko na patelni.

Z papryki odcinamy górną część z ogonkiem lub kroimy na połówki, wycinamy gniazdo nasienne, a do środka wkładamy farsz. Zapiekamy przez 30 minut w 180°C.

Podajemy z sałatą z sosem musztardowym.

DRUGIE ŚNIADANIE: KOKTAJL Z BURAKA I PORZECZEK (300 ML)

składniki

- 2 buraki lub 100 ml soku tłoczonego z buraka
- ½ szklanki porzeczek
- ½ szklanki malin
- 100 ml wody

wykonanie

Wszystkie składniki miksujemy na smoothie.

OBIAD: DORSZ Z CYTRYNOWYM SOSEM NA SAŁACIE – 2 PORCJE

składniki

- 500 g filetu z dorsza, soli, sandacza (w wersji wege 1 szklanka ugotowanej komosy ryżowej)
- sok i skórka starta z 1 limonki
- sok z ½ cytryny
- 2 łyżki jogurtu greckiego
- kilka listków świeżej mięty
- 2 łyżki oliwy z oliwek
- miks sałat z rukolą lub sałata lodowa
- pomidorki koktajlowe
- 2 ząbki czosnku
- 1 łyżka musztardy
- 1 łyżeczka płynnego miodu
- sól morska, pieprz czarny

wykonanie

Filet dzielimy na dwie części, skrapiamy sokiem z limonki, przyprawiamy pieprzem i solą i smażymy na łyżce oleju na patelni grillowej po 3 minuty z każdej strony. Obok układamy gałązkę pomidorków ponacinanych i posmarowanych wyciśniętym czosnkiem i smażymy razem z rybą. Po upieczeniu rybę i pomidorki zostawiamy na ciepłej patelni pod przykryciem. (Jeśli w wersji wege używamy kaszy, mieszamy ją z upieczonymi pomidorami.)

W tym czasie mieszamy sok z połowy cytryny ze startą skórką limonki. Dodajemy jogurt, wyciśnięty czosnek, musztardę, miód, miętę i łyżkę oliwy. Wszystko to miksujemy i przyprawiamy solą oraz pieprzem. Podajemy na sałacie, z surówką z młodej kapusty i awokado.

SURÓWKA Z MŁODEJ KAPUSTY I AWOKADO

składniki

- 2 szklanki posiekanej młodej kapusty
- 1 małe miękkie awokado
- 1 mała cebulka czerwona
- garść rukoli
- 6 suszonych pomidorów
- sok z 1 limonki
- gałązka koperku
- sól himalajska, pieprz

sos miodowo-musztardowy
2 łyżki oliwy z suszonych pomidorów + 1 łyżeczka musztardy + 1 łyżeczka miodu + 2 łyżki soku z limonki – składniki mieszamy

wykonanie

Kapustę zalewamy wrzątkiem, zostawiamy na 5 minut i odsączamy.

W miseczce mieszamy kapustę, rukolę i posiekaną cebulkę. Dodajemy kawałki awokado i pokrojone suszone pomidory. Skrapiamy sokiem z limonki, posypujemy solą i pieprzem. Polewamy sosem, mieszamy i posypujemy koperkiem.

PODWIECZOREK: SOK Z MARCHEWKI (300 ML)

KOLACJA: ZUPA KREM Z POMIDORÓW I SELERA – 2 PORCJE

składniki

- 400 g świeżych pomidorów bez skórki (lub przecieru pomidorowego)
- 2 duże papryki czerwone
- 2 łodygi selera naciowego
- 1 cebula czerwona
- 2 ząbki czosnku
- pęczek natki pietruszki
- 200 ml bulionu warzywnego
- 2 łyżeczki oliwy lub oleju rzepakowego tłoczonego na zimno
- 1 por
- sól morska, pieprz czarny

wykonanie

Na oliwie szklimy przez minutę pokrojone cebulkę i por. Przyprawiamy solą i pieprzem. Następnie wrzucamy pokrojony seler, paprykę oraz czosnek i dusimy przez 3 minuty, mieszając. Na koniec dodajemy pomidory i dusimy przez kolejne 3 minuty. Wlewamy bulion i gotujemy przez 10 minut. Zupę podajemy posypaną natką pietruszki.

DZIEŃ 33.

ŚNIADANIE: WIOSENNA SAŁATKA Z AWOKADO Z NUTĄ POMARAŃCZY – 1 PORCJA

składniki

- 1 awokado
- kilka rzodkiewek
- 1 kalarepka
- 2 młode marchewki
- biały kawałek pora
- 1 świeży ogórek
- sok z 1 limonki
- 1 pomarańcza
- 4 łyżki kiełek brokułu lub innych ulubionych

dressing pomarańczowo-miodowy
2 łyżeczki musztardy + 2 łyżeczki miodu + 2 łyżeczki oleju rzepakowego + sok z ½ pomarańczy + 2 łyżki świeżej mięty

wykonanie

Awokado obieramy ze skórki, wyjmujemy pestkę, miąższ kroimy w plasterki. Skrapiamy sokiem z limonki.

Warzywa kroimy we wstążki za pomocą obieraczki do warzyw, por siekamy w talarki. Na talerzu układamy plasterki awokado, a na nich por i pozostałe warzywa. Delikatnie solimy.

Cząstki pomarańczy pozbawione białych osłonek i skórek kładziemy na sałatce. Posypujemy kiełkami i polewamy sosem.

DRUGIE ŚNIADANIE: SOK Z MARCHEWKI I SELERA NACIOWEGO (300 ML)

OBIAD: ZUPA Z ZIELONYCH WARZYW – 2 PORCJE

składniki

- 250 g zielonych szparagów lub fasolki szparagowej
- kawałek zielonego pora
- 2 ząbki czosnku
- 50 g rukoli lub dowolnej sałaty (masłowej, lodowej, rzymskiej)
- 1 duża cukinia
- szczypta estragonu
- natka kolendry lub pietruszki
- 600 ml bulionu
- 1 łyżka masła klarowanego lub oliwy
- 1 łyżka płatków migdałowych
- sól morska, pieprz
- 1 łyżka jogurtu greckiego

wykonanie

Na oliwie lub maśle smażymy czosnek i por. Przyprawiamy do smaku. Zalewamy bulionem. Dodajemy pokrojone warzywa (oprócz odkrojonych główek szparagów oraz sałaty) i gotujemy przez 20 minut. Następnie dodajemy sałaty, miksujemy i przyprawiamy.

Na koniec wrzucamy główki szparagów i gotujemy jeszcze 5–10 minut. Posypujemy natką. Dodajemy łyżkę jogurtu greckiego i płatki migdałowe.

PODWIECZOREK: KOKTAJL Z BURAKA Z IMBIREM (300 ML)

składniki

- 3 buraki lub 200 ml wyciśniętego soku z buraka
- 1 limonka bez skórki
- 1 cm imbiru
- 1 łodyga selera
- 1 duży ogórek

wykonanie

Wszytkie składniki miksujemy na smoothie lub wyciskamy w wyciskarce.

KOLACJA: PORCJA ZUPY

DNI 34.–35.

ŚNIADANIE: PLACUSZKI Z CUKINII WEGE Z SAŁATKĄ ZE SZPINAKU – 2 PORCJE

składniki

placuszki

- 1 cukinia
- 1 jajko

- mały kawałek pora
- 4 łyżki ugotowanej kaszy jaglanej
- 1 łyżka mielonego siemienia lnianego
- 2 łyżki oliwy
- sól himalajska, pieprz, czosnek świeży lub niedźwiedzi

sałatka

- porcja szpinaku (ok. 100 g)
- 10 pomidorków koktajlowych
- cebula dymka ze szczypiorkiem

dressing

sok z cukinii + 1 łyżka musztardy + świeże zioła + pieprz

wykonanie

Cukinię ścieramy na tarce, por drobno siekamy i lekko solimy. Warzywa przekładamy na sitko ustawione na misce i zostawiamy na 10 minut, aż sok ścieknie. Odciskamy resztki soku, który wykorzystamy do dressingu.

Do cukinii i pora dodajemy jajko, czosnek, kaszę, siemię lniane, przyprawy oraz łyżkę oliwy i mieszamy. Odstawiamy na 10 minut, a następnie smażymy na łyżce oliwy na złoto z obu stron. Nadmiar tłuszczu odsączamy na ręczniku papierowym.

Mieszamy w misce szpinak, pomidorki i dymkę. Polewamy sosem i podajemy z placuszkami.

DRUGIE ŚNIADANIE: SMOOTHIE Z BAZYLIĄ (300 ML)

składniki

- 1 duże kwaśne jabłko lub 200 ml soku tłoczonego jabłkowego
- 10 listków bazylii

- 1 limonka bez skórki
- 1 szklanka szpinaku

wykonanie

Wszystkie składniki wyciskamy w wyciskarce lub miksujemy z tłoczonym sokiem jabłkowym.

OBIAD: LIMONKOWE PIERSI Z KURCZAKA Z TYMIANKIEM – 2 PORCJE

składniki

- 300 g mięsa z kurczaka lub indyka (w wersji wege duży batat)
- sok i skórka otarta z 1 limonki
- ½ łyżeczki miodu
- świeży tymianek, sól himalajska, pieprz, czosnek świeży
- 1 łyżka oliwy

wykonanie

Piekarnik rozgrzewamy do 190°C. Piersi kurczaka umieszczamy w małym żaroodpornym naczyniu.

Do małej miseczki wkładamy skórkę z limonki, posiekany czosnek oraz łyżkę tymianku, dodajemy sok z limonki, miód oraz oliwę. Mieszamy i polewamy kurczaka (batat). Doprawiamy solą i pieprzem.

Pieczemy mięso przez 35–40 minut bez przykrycia, przewracając kurczaka co 10 minut. Marynata powinna zgęstnieć i przykleić się do kurczaka (batata). Przed podaniem posypujemy danie resztą tymianku.

Podajemy z młodą kapustą.

MŁODA KAPUSTA PO TAJSKU – 2 PORCJE

składniki

- ½ główki młodej kapusty
- 1 papryczka chili
- świeża kolendra lub natka
- 200 ml mleczka kokosowego
- 1 por
- 2 łyżeczki oleju rzepakowego
- kurkuma, curry, pieprz czarny, sól morska, przyprawa do bulionu

wykonanie

Por i papryczkę chili siekamy, doprawiamy curry oraz kurkumą i szklimy na oleju przez 2 minuty. Następnie dodajemy kapustę posiekaną w drobniutkie paseczki, zalewamy wszystko 200 ml wody z przyprawą do bulionu i gotujemy 15 minut. Na koniec wlewamy mleczko kokosowe i gotujemy jeszcze 5 minut. Doprawiamy do smaku. Kapustę podajemy posypaną zieleniną.

PODWIECZOREK: KOKTAJL DETOKS TRUSKAWKOWO-BORÓWKOWY (300 ML)

składniki

- 1 szklanka truskawek
- 1 szklanka borówek
- garść mięty
- 100 ml wody mineralnej

wykonanie

Wszystkie składniki miksujemy na smoothie.

KOLACJA: CHŁODNIK Z BOTWINKI – 2 PORCJE

składniki

- włoszczyzna
- 1 wiązka botwinki
- 1 cytryna
- 3 buraki
- rzodkiewka, ogórek
- 2 ząbki czosnku
- 300 ml jogurtu naturalnego
- liść laurowy, ziele angielskie
- pietruszka lub koperek do posypania
- 200 ml bulionu warzywnego
- 2 jajka lub 1 awokado

wykonanie

Buraki obieramy, kroimy w ćwiartki i skrapiamy sokiem z cytryny. Do garnka wkładamy obraną włoszczyznę i liść laurowy, wsypujemy ziele angielskie. Zalewamy bulionem. Następnie dodajemy pokrojone buraki, jedną wiązkę poszatkowanej botwinki, pokrojony czosnek. Gotujemy przez 15 minut.

Wyjmujemy z garnka włoszczyznę i buraki. Zostawiamy botwinkę z wywarem i studzimy. Dodajemy pokrojoną rzodkiewkę i świeży ogórek, mieszamy z jogurtem naturalnym i posypujemy pietruszką lub koperkiem.

Podajemy z jajkiem na twardo lub kawałkami awokado.

LISTA ZAKUPÓW – TYDZIEŃ V

PRODUKTY ZBOŻOWE

- 1 szklanka suchej komosy ryżowej lub kaszy gryczanej
- 40 g kaszy jaglanej

PRODUKTY NABIAŁOWE

- 1 mozzarella
- 3 łyżki jogurtu greckiego
- 300 ml jogurtu naturalnego
- 3 jajka

PRODUKTY PŁYNNE

- 400 ml gęstego mleka kokosowego
- 600 ml świeżego soku z marchewki
- sok z marchewki i selera

MIĘSO / RYBY

- 400 g łososia dzikiego, dorsza lub innej ryby (w wersji wege 300 g wędzonego tofu)
- 100 g mielonego mięsa drobiowego (w wersji wege ugotowanej soczewicy)
- 500 g filetu z dorsza, soli, sandacza (w wersji wege 1 szklanka ugotowanej komosy ryżowej)
- 300 g mięso z drobiu (w wersji wege duży batat)

WARZYWA

- 4 papryki kolorowe
- 2 papryki czerwone
- miks sałat z rukolą
- 150 g kurek
- 2 świeże pomidory
- 400 g świeżych pomidorów lub 400 ml passaty (do zupy)
- 2 cebule czerwone
- 10 rzodkiewek
- koperek
- pęczek natki pietruszki
- 200 g szpinaku sałatkowego
- 100 g pieczarek
- główka młodej kapusty
- 2 pęczki szczypiorku
- 2 cebule szalotki
- główka czosnku
- 3 ogórki
- 3 cukinie
- 4 marchewki
- 60 g kiełków lub rzeżuchy
- 1 fenkuł
- 2 pory
- 6 rzodkiewek
- 50 g jarmużu
- pęczek zielonych szparagów (300 g)
- 250 g fasolki szparagowej
- 30 pomidorków koktajlowych
- paczka rukoli
- 1 kalarepka

świeża bazylia
sałata lodowa lub rzymska
7 buraków
koperek
3 łodygi selera naciowego
dymka ze szczypiorkiem
włoszczyzna
botwinka z burakami
świeża mięta
papryczka chili

OWOCE

4 miękkie awokado
1 szklanka czarnych porzeczek
1 szklanka malin
4 limonki
400 g truskawek
300 g borówek
2 cytryny
1 gruszka
5 jabłek zielonych
1 pomarańcza
1 świeży ananas
2 duże jabłka lub 400 ml soku tłoczonego z jabłek

DODATKI

1,5 litra bulionu warzywnego
30 ml oleju sezamowego
50 g orzechów piniowych, włoskich lub pekanowych
20 g orzechów włoskich lub płatków kokosowych
20 g płatków migdałowych
rozmaryn suszony
20 g kaparów
musztarda gruboziarnista
10 pomidorów suszonych w oliwie
miód
estragon

ROZDZIAŁ 3

NA DOBRE ZAKOŃCZENIE

Po takim detoksie i oczyszczeniu powinniście poczuć się lepiej, lżej i na pewno bardziej energicznie. Ta dieta przygotuje Was do lata i wymodeluje metabolizm, by nie pojawiły się problemy z nadwagą.

Aby zamierzony cel osiągnąć, należy oczywiście zachować zdrowy rozsadek w wyborze produktów spożywczych. Pamiętajcie, aby zawsze wybierać produkty świeże, z dobrego źródła, pozbawione konserwantów i sztucznych barwników.

Bz może obawiacie się, że się nie da, że wszystko jest przetworzone... Nie jest tak do końca. Sporo uprawianej w Polsce żywności ma dobrą jakość, więc jeśli kupujemy surowe produkty i sami przygotowujemy z nich potrawy, mamy pewność, że jemy produkt nieprzetworzony chemicznie ani przemysłowo. O to właśnie chodzi.

Nie popadajmy przy tym w paranoję, szukając żywności tylko w sklepach ekologicznych z certyfikatem bio. Po pierwsze, jest ona droga, po drugie, często sprowadzana z innych krajów, podczas gdy akurat w sezonie można znaleźć wiele znakomitych produktów z naszej strefy klimatycznej.

Kierujmy się jakością przy wyborze żywności świeżej, niepodpleśniałej i sprzedawanej w odpowiednich warunkach. Większym zagrożeniem bywają niekiedy wiejskie kurczaki sprzedawane bez żadnej kontroli i spod lady niż te sklepowe, z oznaczeniem pochodzenia.

Tak naprawdę najgroźniejszymi produktami, które kupujemy, są przetworzone wyroby mięsne i to przed nimi najbardziej ostrzegam. Namawiam wszystkich na własnoręczne przygotowywanie wędlin i pieczenie mięs. To nas chroni przed chemią obecną w komercyjnych wędlinach, taką jak rakotwórcze azotany, obniżające jakość wzmacniacze smaku, barwniki, aromaty i fosforany, pozwalające na wpompowanie w mięso dużo wody.

Unikajmy też gotowych mieszanek przypraw z przewagą soli i glutaminianu sodu lub innego wzmacniacza smaku. Kupujmy zioła i mieszanki bez glutaminianu oraz samodzielnie róbmy własne kompozycje.

Ponadto zawsze wybierajmy ze sklepowej półki oleje w szklanych ciemnych butelkach zamiast tych w plastiku. Dobry olej, zawierający kwasy omega-3, to ważny krok w stronę zdrowia jelit.

Unikajmy jak ognia produktów, do których dodane są duże ilości cukru, a najlepiej kupujmy wszystko w stanie naturalnym. Jedna łyżeczka zawiera 5 g cukru, więc jeśli w składzie jogurtu truskawkowego mamy 30 g cukru, odstawmy go na półkę, a samodzielnie dodajmy świeże truskawki do jogurtu naturalnego. Pamiętajmy, że cukier szkodzi zdrowiu o wiele bardziej niż tłuszcz. Choć oczywiście nie można zapominać o bardzo groźnych dla zdrowia tłuszczach nasyconych trans, zawartych w żywności fastfoodowej, ale zakładam, że po tę nigdy nie sięgniecie :)

Pamiętajcie, że jedząc zdrowo na co dzień, możecie od czasu do czasu pozwalać sobie na rzadziej polecane produkty, które nie powinny wpłynąć negatywnie na Wasz stan, pod warunkiem że sytuacje takie będą zdarzały się okazyjnie, czego Wam z całego serca życzę!

Na koniec, w ramach bonusu za trzymanie się zdrowej diety, proponuję na zwieńczenie starań i połechtanie swojego podniebienia zdrowe desery. Smacznego!

PYSZNE SMOOTHIES

SMOOTHIE ENERGETYCZNE

składniki

- 1 szklanka świeżych truskawek bez szypułek
- 1 mały banan
- ½ szklanki winogron bez pestek
- 1 szklanka jogurtu lub mleka roślinnego

wykonanie

Wszystkie składniki miksujemy w blenderze.

SMOOTHIE KOKOSOWE Z CHIA

składniki

- 1 szklanka wody
- 2 łyżki wiórków kokosowych
- 1 mały banan
- 1 łyżeczka nasion chia lub siemienia lnianego

wykonanie

Wiórki zalewamy 1 szklanką wrzątku. Gdy wystygną, dodajemy resztę składników i dokładnie miksujemy.

SMOOTHIE SZPINAKOWE Z OWOCAMI LEŚNYMI

składniki

- ½ szklanki mrożonych owoców leśnych
- 1 szklanka wody
- 1 mały banan
- garść szpinaku

wykonanie

Składniki miksujemy.

SMOOTHIE GREEN MONSTER

składniki

- 1 szklanka wody
- garść szpinaku lub jarmużu
- 1 mały banan
- 1 kiwi

Składniki miksujemy.

SMOOTHIE RELAKS

składniki

- 1 kubek truskawek bez szypułek
- 1 kubek pokrojonego świeżego ananasa
- 1 mały banan
- 1 plaster melona – 50 g

wykonanie

Składniki miksujemy.

SMOOTHIE BRZOSKWINIOWE

składniki

- 1 brzoskwinia bez pestki i skórki
- 1 pomarańcza bez skórki
- ½ szklanki pokrojonego ananasa
- ½ szklanki wody mineralnej
- garść świeżej mięty

wykonanie

Składniki miksujemy.

SMOOTHIE MALINOWE ORZEŹWIENIE

składniki

- 1 szklanka świeżych malin
- 1 szklanka borówek
- 1 szklanka truskawek
- świeża mięta
- ½ szklanki mleka kokosowego lub jogurtu

wykonanie

Składniki miksujemy.

ZDROWE PRZEKĄSKI

CIASTECZKA CZEKOLADOWE Z FASOLI (10 SZT.)

składniki

- 1 szklanka czerwonej fasoli z puszki lub ugotowanej
- 2 czubate łyżki masła orzechowego laskowego lub z nerkowców
- 3 łyżki gorzkiego kakao
- 2 łyżki erytrytolu
- 1 łyżeczka proszku do pieczenia
- 1 jajko lub mały banan
- 50 ml mleka kokosowego
- dodatki: pokrojone morele suszone niesiarkowane, 3 łyżki pokruszonych orzechów włoskich

wykonanie

Wszystkie składniki (oprócz dodatków) miksujemy na masę, dosypujemy pokrojone dodatki i mieszamy. Układamy porcje masy na blachę wyłożoną papierem i pieczemy przez 25 minut w 180°C.

ORZECHOWE LODY – 4 PORCJE

składniki

- 1 puszka gęstego mleczka kokosowego z puszki, z lodówki
- laska wanilii
- 3 łyżki masła orzechowego
- 1 łyżka miodu lub erytrytolu lub mały banan
- dodatki: 1 łyżka rodzynek zalanych wcześniej wrzątkiem, 2 łyżki pokruszonych orzechów

wykonanie

Wyjmujemy z wanilii ziarenka i miksujemy z resztą składników (oprócz dodatków). Na koniec wsypujemy dodatki. Masę przekładamy do pudełka, wstawiamy na 30 minut do zamrażalnika i gotowe!

MUFFINKI FIT (6 SZT.)

składniki

- 2 zielonkawe banany
- 1 szklanka startego jabłka lub dyni

- 1 jajko
- 4 łyżki mąki kokosowej
- 3 łyżki mąki migdałowej
- 1 łyżeczka proszku do pieczenia
- szczypta soli himalajskiej
- 1 łyżeczka cynamonu
- 3 łyżki oleju kokosowego
- ziarenka wyjęte z laski wanilii
- 4 suszone morele niesiarkowane

wykonanie

Jajko miksujemy na gładką masę z bananami, jabłkiem (dynią) i olejem. Dosypujemy mąkę, proszek do pieczenia, dodajemy ziarenka wanilii, cynamon, sól oraz pokrojone morele i mieszamy. Ciasto wkładamy do foremek i pieczemy przez 25 minut w 170°C.

KOKOSOWE KULKI MOCY (15 SZT.)

składniki

- 1 szklanka daktyli
- 1 szklanka fig suszonych
- 1 szklanka pokruszonych orzechów lub migdałów
- 2 łyżki gęstego mleka kokosowego
- 3 łyżki gorzkiego kakao
- ½ szklanki wiórków kokosowych

wykonanie

Daktyle i figi zalewamy wrzątkiem i zostawiamy na 15 minut, a następnie odsączamy. Miksujemy z orzechami, kakao, mlekiem kokosowym. Formujemy kulki i obtaczamy w wiórkach. Przechowujemy w lodówce.

TRUFLE KOKOSOWE W CZEKOLADZIE (6 SZT.)

składniki

- 50 g czekolady 90% kakao
- 4 łyżki mleka kokosowego w proszku
- 1 łyżka mąki kokosowej
- ½ szklanki gęstego mleka kokosowego
- ziarenka z laski wanilii
- 2 łyżki pokruszonych migdałów

wykonanie

Czekoladę rozpuszczamy w kąpieli wodnej.

Mleko kokosowe miksujemy z ziarenkami wanilii, mąką i mlekiem kokosowym w proszku. Mieszamy z pokruszonymi migdałami. Z masy formujemy kulki i obtaczamy je w czekoladzie. Studzimy w lodówce.

CZEKOLADOWE KULKI MOCY (10 SZT.)

składniki

- 10 daktyli bez pestek
- 4 łyżki masła orzechowego lub migdałowego
- 4 łyżki pokruszonych migdałów
- 2 łyżki łuszczonych nasion konopi lub pestek dyni
- 1 łyżka gorzkiego kakao
- 1 łyżeczka nasion chia
- 1 czubata łyżka oleju kokosowego

- 5–6 łyżek ekspandowanej kaszy jaglanej lub amarantusa
- szczypta soli himalajskiej
- przyprawy: duża szczypta suszonego imbiru oraz cynamonu
- 100 g gorzkiej czekolady 90% (polewa)
- 3 łyżki liofilizowanych owoców, np. truskawek (posypka)

wykonanie

Daktyle zalewamy wrzątkiem i zostawiamy, aby zmiękły. Odcedzamy i miksujemy na gładką masę.

Do garnuszka wkładamy olej kokosowy, roztapiamy, dodajemy szczyptę cynamonu i imbiru, kakao, masło orzechowe (migdałowe) i mieszamy. Wsypujemy resztę składników i mieszamy. Z gęstej masy formujemy kulki.

Czekoladę rozpuszczamy w kąpieli wodnej. Kulki moczymy w czekoladzie i oprószamy pudrem zrobionym z pokruszonych owoców liofilizowanych. Przekładamy do pudełka i wstawiamy do lodówki do stężenia.

POMARAŃCZOWE CIASTECZKA Z BATATÓW Z NUTĄ IMBIRU (10 SZT.)

składniki

- 1 batat lub dynia (ok. 250 g)
- 3 łyżki masła orzechowego lub migdałowego
- 1 łyżka ksylitolu
- 200 g mąki owsianej
- 1 łyżeczka proszku do pieczenia
- cynamon, imbir, otarta skórka z pomarańczy, laska wanilii
- do posypania: wiórki kokosowe lub ulubione orzechy

BRIE

wykonanie

Batat obieramy i kroimy w drobniutką kostkę. Posypujemy dużą szczyptą cynamonu i imbiru. Zalewamy ½ szklanki wody. Dodajemy przekrojoną laskę wanilii i dusimy do miękkości na małym ogniu przez około 15 minut, póki płyn zupełnie nie wyparuje. Gdyby odparowywał, zanim batat będzie miękki, dodajemy odrobinę wody.

Wyjmujemy laskę wanilii i przekładamy masę z batata do miski. Dodajemy masło orzechowe, mąkę, proszek do pieczenia, ksylitol oraz 3 łyżki otartej skórki z pomarańczy i mieszamy. Łyżką formujemy małe ciasteczka, wykładamy je na papier do pieczenia i pieczemy w 170°C przez 35–40 minut. Posypujemy wiórkami kokosowymi lub orzechami.

WEGAŃSKI MUS CZEKOLADOWY Z CHILI – 4 PORCJE

składniki

- 1 szklanka płynu z puszki po ciecierzycy (tak, tej gęstej, mętnej cieczy)
- 1 łyżka ksylitolu
- ziarenka z laski wanilii
- 1 czekolada
- szczypta chili

wykonanie

Odlany płyn z puszki ubijamy mikserem z ksylitolem na sztywną pianę. Dodajemy rozpuszczoną przestudzoną czekoladę, wanilię i chili. Dokładnie miksujemy, aż powstanie mus.

Przekładamy mus do miseczek i dekorujemy ulubionymi owocami. Przechowujemy w lodówce.

MIĘTOWE LODY Z AWOKADO – 4 PORCJE

składniki

- 1 puszka gęstego mleczka kokosowego
- ½ łyżeczki sproszkowanej herbaty matcha
- 1 duże dojrzałe awokado, najlepiej Hass
- sok i skórka otarta z 2 dużych limonek
- ½ szklanki świeżej mięty
- 3 łyżki ksylitolu
- laska wanilii

wykonanie

Z puszki mleka kokosowego odlewamy rzadki płyn i wyjmujemy gęstą masę. Ubijamy ją z ksylitolem i ziarenkami wanilii. Dodajemy po kawałku awokado, następnie sproszkowaną matchę, sok wyciśnięty z limonek i otartą z nich skórkę oraz posiekaną miętę. Miksujemy wszystko na gładką masę, przekładamy do pojemnika i wstawiamy do zamrażarki. Po godzinie lody są gotowe do podania.

LODY TAJSKIE Z NUTĄ IMBIRU – 4 PORCJE

składniki

- 1 szklanka gęstego mleka kokosowego z puszki
- 3 limonki (skórka otarta z 1)
- 1 cm świeżego imbiru
- 2 czubate łyżki ksylitolu
- 1 laska wanilii

wykonanie

Mleko kokosowe miksujemy z ziarenkami wanilii, imbirem, cząstkami z 3 obranych limonek i ksylitolem oraz skórką otartą z limonki. Mrozimy przez godzinę.

CZEKOLADOWE KĄSKI Z JAGODAMI GOJI – 15 PORCJI

składniki

- 300 g daktyli bez pestek
- 3 łyżki oleju kokosowego w formie stałej
- 1 laska wanilii
- 3 łyżki mąki kokosowej
- 2 łyżki masła orzechowego lub tahini
- ½ szklanki orzechów nerkowca lub laskowych pokruszonych
- 3 łyżki owoców goji
- 5 łyżek gorzkiego kakao
- szczypta kardamonu, cynamonu, soli himalajskiej

wykonanie

W jednej misce zalewamy wrzątkiem daktyle, w oddzielnej – owoce goji. Odlewamy wodę z owoców. Miękkie daktyle miksujemy z ziarenkami wanilii i przyprawami oraz kakao. Dodajemy resztę składników i dokładnie mieszamy masę. Na koniec dorzucamy odsączone z wody owoce goji w całości.

Masę przekładamy do formy wyłożonej papierem do pieczenia, przygniatamy dłonią i wstawiamy na noc do lodówki. Po stężeniu kroimy na małe kwadraty. Przechowujemy w lodówce.

TIRAMISU W WERSJI FIT – 6–8 PORCJI

ciasto

- 1 jajko
- 4 białka
- 2 łyżki ksylitolu lub erytrytolu
- ½ szklanki mąki kasztanowej lub kokosowej
- ½ łyżeczki proszku do pieczenia
- szczypta soli himalajskiej

Białka ubijamy na sztywno ze szczyptą soli i ksylitolem (erytrytolem). Dodajemy żółtko i miksujemy. Na koniec wsypujemy mąkę oraz proszek do pieczenia i delikatnie mieszamy wszystko łyżką, aż składniki się połączą.

Masę wlewamy do formy wyłożonej papierem i pieczemy przez 20 minut w 180°C (sprawdzamy patyczkiem, czy nie jest wciąż surowe). Po ostudzeniu przekrawamy biszkopt na pół, aby powstały dwa blaty.

W międzyczasie robimy krem:

krem

- 1 puszka schłodzonego w lodówce, gęstego mleczka kokosowego z minimum 82% kokosa
- 4 żółtka
- 4 łyżki ksylitolu (erytrytolu)
- laska wanilii
- do nasączenia: mocna kawa czarna, zaparzona i wystudzona
- do posypania: gorzkie kakao

Żółtka ubijamy przez 10 minut z ksylitolem na puszystą pianę w misce ustawionej na garnku z gotującą się wodą. Następnie dodajemy po łyżce gęste mleczko (musi być gęste, bo inaczej nie ubija się, tylko rozmiksowuje). Wsypujemy ziarenka wanilii i miksujemy wszystko na puszystą masę.

Na spód szklanej formy kładziemy pierwszą warstwę biszkoptu i nasączamy go kawą. Na to nakładamy połowę kremu kokosowego i drugi blat biszkoptowy. Nasączamy go kawą, pokrywamy ostatnią porcją kremu i posypujemy przesianym kakao. Wstawiamy deser do lodówki i kroimy po stężeniu.

WEGETARIAŃSKA WERSJA CIASTA BANOFFEE – 6–8 PORCJI

ciasto kruche

- 1 jajko
- ½ szklanki mąki kasztanowej lub kokosowej albo ich miksu
- 3 łyżki oleju kokosowego
- szczypta soli himalajskiej

Składniki zagniatamy jak na kruche ciasto, lepimy kulkę i wkładamy na 20 minut do lodówki. Następnie wykładamy nim małą formę do tarty i pieczemy przez 20 minut w 180°C.

W tym czasie robimy warstwy karmelową i kokosową.

warstwa karmelowa

- 10 daktyli bez pestek
- 10 suszonych moreli niesiarkowanych
- 3 łyżki masła orzechowego

Suszone owoce zalewamy wrzątkiem i zostawiamy na 20 minut, aby zmiękły. Następnie odlewamy wodę, a wszystkie owoce miksujemy razem. Masę owocową dokładnie mieszamy z masłem orzechowym.

masa kokosowa

- 1 puszka mleka kokosowego z zawartością minimum 80% kokosa
- 1 laska wanilii
- 2 łyżki ksylitolu

Gęstą część mleka miksujemy przez 5–7 minut z ksylitolem i ziarenkami wanilii na gładką masę.

dodatki

- kakao w proszku, gorzka czekolada, banan

Na upieczoną tartę wykładamy masę daktylowo-orzechową, na to plastry banana, a na koniec krem kokosowy. Posypujemy kakao i wiórkami gorzkiej czekolady. Odstawiamy na 2 godziny do lodówki, by ciasto stężało.

TARTA Z MALINAMI I MUSEM CZEKOLADOWYM BEZ PIECZENIA – 10 PORCJI

ciasto

- 15 daktyli bez pestek
- ½ szklanki mąki kokosowej lub orzechowej lub drobnych wiórków/pokruszonych orzechów
- 1 łyżka nasion chia lub siemienia lnianego
- 1 łyżka oleju kokosowego nierafinowanego

Daktyle zalewamy wrzątkiem. Zostawiamy na 30 minut, następnie odlewamy wodę, a daktyle miksujemy na gładką masę. Dodajemy nasiona, mąkę oraz olej i wyrabiamy ręką ciasto. Wykładamy nim dno blaszki do tarty i wstawiamy do lodówki, aby stężało.

W tym czasie przygotowujemy krem.

składniki kremu czekoladowego

- 300 g gęstego mleka kokosowego z puszki (albo 350 ml płynu z puszki lub słoika ciecierzycy, który ubija się na sztywną pianę)
- 2 łyżeczki ksylitolu

- 1 gorzka czekolada 90% kakao
- do dekoracji: świeże maliny lub dowolne owoce, listki mięty

Mleczko kokosowe miksujemy na gładką masę z ksylitolem. (Jeśli używamy płynu po cieciérzycy, ubijamy go z ksylitolem na sztywną pianę.) Do powstałej masy dodajemy rozpuszczoną, ostudzoną czekoladę i dokładnie mieszamy.

Masę wylewamy na zastygłe ciasto, dekorujemy owocami oraz ziołami i wstawiamy do lodówki do zastygnięcia. Kroimy po ostudzeniu.

SMACZNEGO!

...BO WARTO PRZEŻYĆ ŻYCIE

PIĘKNIE I SMACZNIE!

INDEKS PRZEPISÓW

fotograf Igor Pyć

Magdalena Makarowska

dietetyk, biotechnolog, pedagog. Właścicielka gabinetu dietetycznego **Centrum Natura** w Łodzi (www.centrum-natura.pl). Mama kilkuletniej Wiktorii i żona zdolnego fotografa, dzięki któremu poradniki mają piękne zdjęcia.

Zakochana w swojej pracy optymistka, której życiowe motto to:

Jesteś tym, co jesz, więc jedz pięknie!

Gotowanie to jej pasja, a nie obsesja. Jest zwolenniczką kuchni roślinnej oraz entuzjastką nowych smaków. Według niej mądra dieta, będąca stylem życia, a nie chwilową modą, zapewnia nam zdrowie aż w 90%. Postrzega dietę nie jako reżim żywieniowy, ale świadome słuchanie potrzeb swojego organizmu i modelowanie metabolizmu za pomocą właściwie skomponowanych, pysznych i świeżych posiłków, opartych na produktach jak najmniej przetworzonych. Jest przekonana, że zmiana nawyków żywieniowych i wejście na żywieniową ścieżkę zdrowia są możliwe na każdym etapie naszego życia.